PUM DIWRNOD
A PHRIODAS

I Iwan

PUM DIWRNOD A PHRIODAS

Marlyn Samuel

Diolch i Wasg y Lolfa am eu cefnogaeth.

Diolch yn arbennig i Meleri Wyn James, fy ngolygydd
am ei sylwadau craff a'i hawgrymiadau doeth a gwerthfawr.

Diolch hefyd i Iwan.

Argraffiad cyntaf: 2021
© Hawlfraint Marlyn Samuel a'r Lolfa Cyf., 2021

*Mae hawlfraint ar gynnwys y llyfr hwn ac mae'n
anghyfreithlon llungopïo neu atgynhyrchu unrhyw ran ohono
trwy unrhyw ddull ac at unrhyw bwrpas (ar wahân i adolygu)
heb gytundeb ysgrifenedig y cyhoeddwyr ymlaen llaw*

Llun y clawr: Andy Robert Davies

Rhif Llyfr Rhyngwladol: 978 1 80099 052 4

Dymuna'r cyhoeddwyr gydnabod cymorth ariannol
Cyngor Llyfrau Cymru

Cyhoeddwyd ac argraffwyd yng Nghymru
ar bapur o goedwigoedd cynaliadwy gan
Y Lolfa Cyf., Talybont, Ceredigion SY24 5HE
e-bost ylolfa@ylolfa.com
gwefan www.ylolfa.com
ffôn 01970 832 304
ffacs 01970 832 782

Do you think the universe fights for souls to be together? Some things are too strange and strong to be coincidences.
Become. *Emery Allen*

Nothing happens by coincidence
William S Burroughs

STRANCS A STERICS

CYNHEBRWNG DYN BYW.
Dyna roedd ei thad, heddwch i'w lwch, yn arfer ei ddweud am briodas. Wedi byw efo'i mam, Thelma, am yr holl flynyddoedd, ella nad oedd o'n bell o'i le. Ac ar ôl ei phrofiad hithau o'r stad honno, tueddai Carys i gytuno efo fo.

Caeodd sip ei chês gan ochneidio'n ddwfn. Rhywbeth roedd hi wedi mynd i'w wneud yn aml dyddiau yma. Ochneidio'n ddwfn felly, nid cau cesys. Dim ond gobeithio y byddai priodas Gethin ei mab yn para yn hirach na'i hun hi. Ac yn un hapusach. Er doedd hi ddim yn dal ei gwynt chwaith hefo'i ddewis o wraig. Rebeca Arianrhod. Ochneidiodd eto. Yn ddyfnach byth y tro yma. I gychwyn efo hi, doedd ei henw hi ddim yn arwydd da nac yn argoeli y byddai hi'n briodas lwyddiannus. Ddim dyna beth oedd enw'r wraig gyntaf honno yn y nofel *Rebecca* gan ryw Daphne rywbeth neu'i gilydd? Ddim bod Carys wedi darllen y nofel honno chwaith, ond roedd hi'n cofio gwylio'r ffilm ar Netflix oedd wedi'i seilio ar y nofel. Ond calla' dawo oedd hi. Ddim y hi oedd yn mynd i orfod byw efo hi.

Wedi dweud hynny, mae yna ryw dda ymhob drwg, medden nhw. Er nad oedd gan Carys fawr i'w ddweud wrth ei darpar ferch yng nghyfraith, edrychai ymlaen yn fawr i'r briodas ei hun. O achos, yn union fel bwyd Marks & Spencer, ddim jyst unrhyw briodas oedd hon. O, na, roedd y briodas yma yn un arbennig. Doedd y briodas yma ddim yn cael ei chynnal mewn swyddfa gofrestru, addoldy na gwesty. Dramor yr oedd hon i'w chynnal.

Ddim ond un waith o'r blaen fuodd hi dramor. Gwenodd wrth ddwyn i gof y gwyliau gwyllt, gwallgo a gogoneddus hwnnw yng Ngroeg a hithau'n ddwy ar bymtheg oed. Teimlai yn llythrennol fel oes yn ôl. Roedd yna alwyni ar alwyni o ddŵr wedi mynd dan y bont ers hynny, a bu sawl tro ar fyd hefyd. Canodd ei mobeil gan darfu ar ei meddyliau.

'Faint o'r gloch ydach chi'n nôl fi bora fory?'

Ochneidiodd Carys cyn ateb, 'Saith o'r gloch, Mam. Dwi wedi deud wrthach chi, saith o'r gloch.'

'Dwi'm yn siŵr ydw i ddigon da i ddŵad, sdi. Tair gwaith fues i'n lle chwech bora 'ma. A ma gin i'r cnoi mwya diawledig.'

'Ella fysa'n well i chi beidio â dŵad, 'ta,' awgrymodd Carys yn obeithiol.

Roedd Carys yn rhyw led amau mai cachu ei hun yn llythrennol a ffigurol ynglŷn â hedfan oedd yr hen Thelma. Doedd hi erioed wedi hedfan yn ei byw o'r blaen a doedd hi ddim wedi bwriadu dechrau rŵan chwaith, ond gan fod Gethin a'i ddyweddi wedi penderfynu priodi dramor roedd hi'n hynny neu aros adref.

'Peidio dŵad? Be haru ti? Fedra'i ddim colli priodas fy ŵyr na fedraf? Ond Duw a ŵyr pam mae'n rhaid iddyn nhw fynd mor bell i briodi. Santorini wir!' edliwiodd eto fyth.

'Sorrento, Mam,' ochneidiodd Carys. 'Sawl gwaith sydd isio deud? Yng Ngroeg ma Santorini, yn yr Eidal ma Sorrento.'

'Sorrento, Santorini. Be ydi'r gwahaniaeth? Mae'r ddau'n gythgam o bell, tydyn? Ac yn waeth, dros yr hen fôr mawr 'na. Be sy'n bod ar briodi mewn capel neu eglwys fatha cypla normal? O'dd Ebeneser ddigon da i chdi, doedd?' ategodd wedyn.

'Ac ylwch be ddigwyddodd i'r briodas honno,' atgoffodd Carys hi. Doedd ganddi ddim mo'r amser na'r amynedd i ddal pen rheswm efo'i mam, roedd ganddi gant a mil o bethau angen eu gwneud eto cyn iddynt hedfan i'r Eidal ben bore wedyn. Rhoi ffêc tan a phlycio ei haeliau i gychwyn efo hi.

'Pryd ma Medwyn yn fflio i'r Sorrento 'ma?' holodd Thelma gan anwybyddu'r sylw. Roedd ganddi dal dipyn o feddwl o'i chyn-fab yng nghyfraith. Hen hogyn clên welodd hi o erioed, er waetha'r ffaith fod ei lygaid, heb sôn am ei bidlan, yn dueddol o grwydro.

'Does neb yn sant, Carys bach. Ma pawb yn gneud camgymeriad weithiau, sdi,' oedd ei hymateb ar ôl i Carys ddarganfod e-bost gan ei gyfrifydd. Camgymeriad mawr Medwyn oedd peidio â dileu'r e-bost gan fod yr e-bost arbennig hwnnw, yn hytrach na thrafod cyfrifon busnes ei garej trin ceir fel y byddai rhywun yn ei ddisgwyl, yn disgrifio, yn graffig iawn, y pethau roedd hi, y cyfrifydd, yn edrych ymlaen yn fawr i Medwyn eu gwneud iddi'r noson honno. Campau rhywiol doedd Carys erioed wedi clywed amdanyn nhw heb sôn am eu gweithredu nhw.

'Mae o allan yna yn barod.'

'Yn barod?'

Roedd ei chyn-ŵr a'i gyfrifydd, neu ei bartner fel yr oedd hi bellach, wedi penderfynu hedfan i'r Eidal wythnos ynghynt.

'Ma'n nhw am neud gwyliau iawn ohoni hi, medda fo,' roedd Gethin wedi'i ddweud wrthi pan holodd am drefniadau ei dad ynglŷn â'r briodas. 'Tair wythnos allan yna. Ma'n nhw am fynd i Rufain am gwpwl o ddyddiau gynta cyn mynd yn eu blaenau am Sorrento ar gyfer y briodas. Maen nhw isio mynd i weld Pompeii a Vesuvius ac ati. Ac wedyn ma'n nhw'n bwriadu mynd ymlaen i Positano ac Amalfi.'

Allai Carys ddim peidio â theimlo rhithyn bach o genfigen, wel, mwy na rhithyn a dweud y gwir, pan glywodd hi am gynlluniau teithio ei chyn-ŵr. Roedd hi prin yn gallu fforddio i aros am bedair noson heb sôn am dreulio tair wythnos yn yr haul a'r gwres Eidalaidd. Ond ar ôl iddo symud i fyw at Llinos gallai Medwyn fforddio aros hynny licia fo ac yn y gwestai gorau.

'Mae o a Llinos yn gneud holidês o'r peth.'

Gwyddai Thelma hyn yn barod wrth gwrs, ond drwy ffugio anwybodaeth roedd hynny'n rhoi cyfle iddi unwaith yn rhagor i edliw penderfyniad annoeth ei merch.

'Braf iawn iawn wir. A tasa tithau wedi sticio efo fo, fysat tithau allan yna rŵan, basat?'

Cyfrodd Carys i ddeg. Roedd ei mam yn anhygoel weithiau. Roedd amynedd Carys efo hi yn mynd yn brinnach bob dydd. 'Na fyswn, Mam. Gin Llinos ma'r pres, ddim Medwyn. Mi fyddwn ni yn eich nôl chi bora fory am saith, OK?' meddai'n siort, yn trio ei gorau i ddod â'r sgwrs i'w therfyn.

'Oes 'na le i ni gyd, dŵa?'

'Oes tad, dwi wedi deud wrthach chi, ma 'na ddigon o le i bawb.' Roedd Siôn am ddreifio'r pump ohonyn nhw i'r maes awyr. Fo, Greta ei bartner, eu merch fach Sisial, ei nain a hithau.

'Mi fydd rhaid i mi ista yn y tu blaen, cofia,' meddai ei mam wedyn. 'Neu mi fydda'i wedi mynd yn sâl cyn cyrraedd Penmaenmawr. A deuda wrth yr hen 'ogyn 'na am beidio gyrru 'fyd.'

Er mawr loes i Carys, fel 'yr hen 'ogyn 'na' roedd Thelma wastad yn cyfeirio at ei hŵyr hynaf. Fy ngwas i, neu Geth bach, oedd hi bob gair am y fenga. Ond yr hen 'ogyn 'na oedd hi bob gafael am Siôn. Doedd dim amheuaeth p'run oedd ei ffefryn.

Deg punt yr arferai Siôn gael ganddi yn ei gerdyn penblwydd am flynyddoedd tra bod cerdyn Gethin yn cynnwys ugain punt. Daliai i gofio'r tro hwnnw pan aeth ei mam ar drip bws i'r Alban efo'i ffrind Gladys. Yn naturiol ddigon daeth Thelma ag anrheg fach adref i bawb o'i thrafals. Tun o *shortbread* a lliain sychu llestri iddi hi a photel fach o wisgi gafodd Medwyn. Roedd ei chalon bron yn gwaedu pan welodd Siôn yn syllu'n eiddigeddus ar Geth yn trio ei orau glas i gael unrhyw fath o sŵn allan o'r *bagpipes* tegan, a'i law yntau wedi cau'n ddwrn tyn ar y *keyring* bach tila.

Gwyddai Carys yn iawn y rheswm dros hyn, amgylchiadau oedd y drwg. Amgylchiadau beichiogi Siôn. O achos mai plentyn llwyn a pherth oedd Siôn. Neu'n hytrach, plentyn bonc a snog un noson wyllt yn Faliraki. Ac roedd Thelma yn dal heb faddau'n iawn i'w merch am ddwyn anfri a gwarth arnynt fel teulu a hithau'n ferch i flaenor ac Arolygydd Ysgol Sul.

'Llyncwch Kwells cyn cychwyn,' meddai Carys drwy'i dannedd gan atgoffa ei hun yr un pryd y byddai hithau angen llyncu dos go lew o amynedd cyn cychwyn bore fory. Sylwodd fod galwad gan Gethin yn ceisio dod drwodd ar ei mobeil. 'Mam, ylwch, ma gin i alwad arall, mae Geth yn ffonio...'

Ond cario yn ei blaen gan anwybyddu'r sylw wnaeth Thelma. 'Kwells ddeudest ti? Ow, na, dwi'n cael cythgam o ddŵr poeth ar ôl llyncu rheini. Os ga'i ista yn y tu blaen, mi fydda i'n tshampion. Cofia di ddeud wrth yr hen 'ogyn 'na.'

'Ma'n rhaid i mi fynd, ma Geth yn ffonio. O Sorrento,' pwysleisiodd.

'Ydi o'n iawn?'

'Wn i'm. Tydw i ar y ffôn efo chi, tydw!'

'Wnei di gofio deud wrth yr hogyn 'na fod yn rhaid i mi ga'l ista yn y tu blaen.' Gorchymyn oedd o, dim cais.

'Wela'i chi fory am saith. Ta ra.' Diffoddodd Carys yr alwad gan ateb ei mab ar frys.

'Helô? Geth?'

Sŵn nadu a chrio mawr i'w glywed ochr arall i'r lein.

'Geth? Be sy? Ti'n iawn?'

Roedd Gethin yn trio dweud rhywbeth wrthi ond oherwydd yr holl nadu a'r crio, ddeallodd hi'r un gair.

Llyncodd Carys ei phoer a rhoddodd ei bol dro'r un pryd. Rasiodd pob mathau o feddyliau hyll drwy ei phen. Doedd Rebeca a fynta erioed wedi ffraeo? Doedd y briodas erioed wedi'i chanslo? Falla nad oedd hi'n meddwl ryw lawer o ddyweddi ei mab ond wedi dweud hynny, ddim ar boen ei bywyd roedd hi'n dymuno i Gethin gael ei frifo. Ac yn bwysicach fyth, roedd hi wedi talu am docyn awyren a gwesty am bedair noson yn Sorrento rŵan.

'Geth, be sy? Dwi'n dallt dim be ti'n trio'i ddeud. Be ydi'r sŵn crio mawr 'na? Rebeca ydi honna? Pam mae hi mor ypsét? Be sy wedi digwydd?'

Triodd Geth eto. Ond unwaith eto, ddeallodd Carys yr un gair oherwydd boddwyd ei lais druan gan nadu ac wylofain ei ddyweddi.

'Arhosa i mi fynd i stafell arall,' gwaeddodd Gethin i lawr y lein.

Llwyddodd Carys i ddeall hynny o leiaf.

'Ti'n clywed fi'n well rŵan?'

'Yndw, rhyw fymryn,' atebodd ei fam, er y daliai i glywed Rebeca'n rhuo yn y cefndir. 'Be sy, Geth bach?'

'Be dwi'n mynd i neud, Mam? Dwi'm yn gwbod be i neud efo hi.'

'Be sy wedi digwydd?' holodd Carys yn ffrantig.

'Ma Rebeca'n deud na fedrwn ni briodi rŵan...' Roedd ei mab yn swnio fel petai bron â chyrraedd pen ei dennyn. 'Be dwi'n mynd i neud?'

'Pam ddim? Be sy wedi digwydd?'

Fflachiai pob mathau o senarios catastroffig drwy ben Carys. Oedd y gwesty wedi llosgi i'r llawr? Oedd y trefnydd priodas wedi gwneud cawlach o bethau? Falla nad oedd y drwydded briodas mewn lle? Oedd mam a llysdad Rebeca'n wael?

Rhwng ochneidiau ei ddyweddi, llwyddodd Gethin i ddatgan yn brudd: 'Ma... ma... ma hi'n gaddo glaw, Mam.'

'Gaddo glaw?' gofynnodd Carys yn ddryslyd.

'Ia, ma hi'n gaddo glaw.'

'E? Pryd?'

'Diwrnod y briodas. Mi ydan ni newydd weld y fforcast am ddydd Gwener ac ma hi'n gaddo galw. Ma Rebeca wedi ypsetio'n ofnadwy. Dwi ddim yn gwbod be i neud efo hi.'

'Dyna pam ti'n ffonio? Dyna pam ma Rebeca mor ypsét?'

Roedd yr hogan yn anhygoel, meddyliodd. Bygwth canslo'r briodas oherwydd y tywydd?

'Ond dio'm ots, nadi,' cysurodd Carys gan wneud nodyn yn ei phen i gofio rhoi ymbarél a chôt law yn ei chês.

'Nacdi i chdi a fi. Ond mae o ots i Rebeca. Tydi hi ddim wedi fflio yr holl ffordd i briodi mewn glaw, medda hi.'

'Fedri di ddibynnu dim ar y fforcast, sdi. Cofia be ddeudodd y Michael Fish 'na.'

'Michael Fish? Pwy uffar 'di hwnnw pan mae o adra?'

'Dyn oedd yn deud y tywydd flynyddoedd yn ôl ac mi ddeudodd o nad oedd 'na *hurricane* ar y ffordd, ond mi oedd 'na un. Fuodd 'na andros o hw ha mawr. Bron iawn iddo fo golli'i job a bob dim.'

'Tydi ddiawl o ots gin i am ryw Michael Fish, Mam.' Roedd amynedd Gethin yn dechrau pallu. 'Be dwi'n mynd i neud efo Rebeca? Ma hi'n deud na fyddwn ni'n priodi os ydi hi'n bwrw glaw. Mi neith o ddifetha bob dim, medda hi.'

Tasa hi wir isio dy briodi di, Geth bach, fyddai o'n poeni dim arni hi tasa hi'n law, haul neu hindda, meddyliodd Carys yn reit ddigalon. Ond ddwedodd hi ddim mo hynny chwaith, dim ond rhoi ochenaid fawr yn lle hynny a dweud, 'Ddim y chi fysa'r cynta na'r diwetha i briodi a hithau'n bwrw, sdi. A dwi'n siŵr mod i wedi darllen yn rhywla ei fod o'n beth lwcus iawn i briodi a hitha'n bwrw glaw.'

'Hy! Triwch chi ddeud hynna wrth Rebeca. A tydi'r feniw ddim wedi'i neud ar gyfer glaw.'

Roedd hynny'n ddigon gwir. Roedd Gethin a Rebeca wedi dangos y *brochure* crand oedd yn cynnwys holl fanylion y pecyn priodas roedd Rebeca wedi ei ddewis. A phan welodd Carys y gost bu bron iddi gael ffit biws. Diolch i'r mawredd mai Meira a Iestyn, Mam a llysdad Rebeca oedd yn talu. Fyddai ei chyflog hi, yn gweithio ar y tils yn yr archfarchnad leol, prin wedi gallu talu am y *canapés* heb sôn am ddim byd arall.

Wedi dweud hynny o weld y lluniau yn y *brochure* roedd yn rhaid i Carys gyfaddef ei fod yn feniw arbennig iawn. Sgwâr bychan wedi'i guddio tu mewn i furiau hen glwysty oedd y lleoliad, sef clwysty San Francesco yng nghanol tref Sorrento. Roedd y bensaernïaeth ramantaidd efo'i bwâu gothig a'r gwyrddni Eidalaidd traddodiadol yn ddelfrydol ar gyfer cynnal priodas. Y bwriad oedd i'r cwpwl ddweud eu llwon allan yn yr awyr agored efo haul Sorrento yn gwenu uwch eu pennau. Byddai'r gwesteion wedyn yn taflu petalau rhosod ar y llawr o'u blaenau wrth i'r pâr priod gydgerdded o dan y bwâu ac yna mi fydden nhw i gyd yn mynd ymlaen i'r gerddi cyhoeddus i dynnu lluniau. Yn gefnlen i'r lluniau byddai golygfeydd godidog o fynydd Vesuvius a bae Naples. Ond edrychai'n bur debyg bellach bod y cynlluniau hynny am fynd i'r gwellt yn llwyr. Yn hytrach, byddai'r ddau rŵan yn gorfod rasio i gysgodi rhag y glaw o dan y bwâu. Fyddai yna chwaith ddim gobaith caneri o dynnu lluniau rhamantaidd gyda'r golygfeydd godidog a'r rheini wedi'u cuddio gan flanced o gymylau llwyd.

'Ond fedrwch chi neud dim byd am y tywydd, Geth bach,' meddai ei fam eto. Er wedi meddwl, ar ôl cyfarfod Meira Lloyd Jenkins, mae'n bur debyg ei bod hi ar y ffôn y funud honno yn aildrefnu'r tywydd efo'r Bod Mawr. 'Ac ella neith hi ddim bwrw glaw. Dach chi'n mynd o flaen gofid rŵan, sdi. A dwi'n siŵr fod gan y cwmni sy'n trefnu'r briodas blan B os fydd hi'n bwrw. Mi fydd yna ddigon o lefydd i chi fochal.'

'Dyna ddeudis i. Ond ma hi mor ypsét, Mam. Dwi ddim yn gwbod be i neud efo hi,' meddai ei mab yn drwm ei galon.

Yr hen 'ogan wirion iddi, meddyliodd Carys. Laddodd ychydig o law neb erioed.

'Yli, os neith hi fwrw, dim ond cawod fechan fydd hi, sdi,' triodd Carys wedyn. 'Cawodydd bach ysgafn maen nhw'n gael dramor, sdi.'

'Ia?' meddai Geth yn amheus iawn o ddawn proffwydo tywydd ei fam. Yn enwedig tywydd yr Eidal.

'Yn bendant,' rhaffodd Carys fwy o gelwyddau. 'Fydd hi wedi stopio erbyn y byddwch chi'n priodi, gei di weld.'

'Ti'n meddwl?'

'Yndw siŵr,' meddai Siân Lloyd efo arddeliad. 'Ac ella, 'te, ella y cewch chi enfys! Meddylia, enfys yn y llunia priodas. Pa mor sbesial fysa hynny, 'ta?'

'Enfys?'

'Mi fysa hynny'n ychwanegu rhwbath sbesial iawn i'r llunia, bysa? Pa mor anarferol ac unigryw ydi cael enfys mewn lluniau priodas?'

'Mm, ella.' Ond doedd Gethin ddim i'w weld wedi'i argyhoeddi. 'Well mi fynd, Mam. Diolch.'

'Am be dŵa?... Geth? Geth...?

Ond roedd Gethin wedi hen fynd. O wel, meddyliodd Carys gan roi ochenaid fechan, Hei lwc i chdi, Geth bach. Dim ond gobeithio y llwyddith o i berswadio Rebeca. Dim ond gobeithio ei bod hi wedi llwyddo i osgoi'r catastroffi o ganslo'r briodas drwy rwdlan a hefru am ryw gawodydd ysgafn ac enfys! Rŵan, 'ta, ei hymbarél. Lle gebyst roedd hi wedi ei chadw hi?

ANWYBYDDWCH Y BRYCH

PASBORT, PWRS, INSIWRANS.
Tsieciodd Thelma ei handbag am y pedwerydd tro.
Cododd oddi ar y soffa ac aeth draw at y ffenest gan godi cwr
y nets. Doedd dal ddim golwg ohonyn nhw. Ciledrychodd ar
y cloc ar y silff ben tân, eto fyth. Chwarter i saith. Aeth yn ôl
i eistedd a'i bag ar ei glin fel roedd hi wedi bod yn ei wneud
am y deugain munud diwethaf. Agorodd ei bag, tsieciodd y tu
mewn iddo unwaith eto: pasbort, pwrs, insiwrans.

Roedd Thelma wedi codi ers pump. Wel, roedd hi wedi
deffro ers pedwar, dweud y gwir. Roedd ei bol yn llawn o
bilipalas. Mi fethodd frwsio ei dannedd yn gynharach. Ers iddi
ddeffro roedd ganddi ryw hen gyfog gwag hyll. Duw a ŵyr sut
roedd hi'n mynd i ymdopi efo'r siwrnai i Fanceinion heb sôn
am y daith ar yr awyren. Dylai hi fod wedi aros adref. Dylai hi
fod wedi dweud diolch yn fawr iawn i chi am y gwahoddiad,
ond dim diolch yn fawr. Dylai hi fod wedi bodloni ar weld y
lluniau.

Beth ddaeth dros ei phen a dweud y bysa hi'n mynd yr holl
ffordd i'r briodas? Beth oedd yn bod ar y bobol ifanc yma yn
mynnu gwneud rhyw lol a rhyw hw ha fawr yn priodi dros y
dŵr? Beth oedd yn bod ar briodi mewn capel neu eglwys adref?
Byddai taith i lawr i'r sowth 'na, i San Clêr, neu le bynnag, wedi
bod fil gwaith gwell na thaith i Sorrento! Ar y Rebeca yna oedd
y bai. Hen hogan wedi cael ei difetha. Mynnu cael ryw briodas
grand a gwahanol. Gethin druan. 'Ngwas i. Beth welodd o

ynddi hi erioed? Peth bach ddigon dymunol i edrych arni ella, braidd yn denau ei golwg. Ond mae llygoden fach yn beth del i sbio arni, tydi? Sgwn i beth oedd Gethin isio neithiwr? Doedd y briodas erioed wedi'i chanslo? Ella mai dyna pam yr oedd o wedi ffonio, i ddweud wrth ei fam, meddyliodd yn obeithiol. Suddodd ei chalon. Byddai Carys siŵr o fod wedi ei ffonio hi'n syth tasa hynny'n wir. Edrychodd ar y cloc, dau funud yn ddiweddarach na phan edrychodd hi ddiwethaf. Well ei bod hi'n cael eistedd yn y tu blaen. Gobeithio'n wir bod Carys wedi sôn wrth yr hen 'ogyn 'na. Agorodd ei bag unwaith eto. Pasbort, pwrs, insiwrans. Oedd, roedd y tri yna.

'Sut uffar 'nest di fanejio i'w anghofio fo, Siôn?'

'O'n i'n meddwl mod i wedi roi o yn fy rycsac, doeddwn?' brathodd hwnnw gan rifyrsio'r car yn wyllt yn ôl am adref.

'Lwcus dy fod ti wedi cofio pan 'nest ti, 'te,' meddai Greta'n annwyl ac yn amyneddgar efo'i phartner.

'Lwcus mod i wedi tsiecio a gofyn,' meddai Carys o dan ei gwynt.

'Duw, dau gachiad fyddwn ni'n piciad adra i nôl o, dwi'n gwbod yn iawn lle mae o. Ar wyrctop y gegin,' meddai Siôn wedyn gan roi ei droed i lawr yn o arw ar y pedal petrol.

'Cym bwyll 'nei di, neu chyrhaeddwn ni nunlla!' Edrychodd Carys ar ei wats, pum munud wedi saith. Ochneidiodd. Mae'n siŵr fod ei mam wedi cael torllwyth o gathod bach bellach. Cael a chael oedd hi i Thelma gael rhai pan ffoniodd Carys i ddweud y bysan nhw fymryn bach yn hwyr.

'Anghofio ei basbort? Anghofio ei basbort?' meddai a'i llais yn mynd un octif yn uwch gyda phob sill. 'Y llwdwn gwirion iddo fo! Sut ar wyneb y ddaear nath o lwyddo i neud hynny?'

'Mae'n beth hawdd iawn ei neud,' meddai Carys yn amddiffynnol. Falla bod ganddi hi berffaith hawl i redeg ar ei mab a gweld bai, ond doedd hynny ddim yn meddwl bod gan bobol eraill yr hawl i wneud hynny hefyd.

Dechreuodd Carys feddwl mai arwydd drwg arall ar gyfer y briodas arfaethedig oedd hyn. Yn barod roedd y briodferch yn cael sterics am ei bod hi'n darogan tywydd gwael, a bore yma cael a chael oedd hi i Siôn anghofio ei basbort. Beth arall allai fynd o'i le?

'Cysgu'n hwyr naethon ni,' prepiodd rhyw lais bach o'r cefn. Llais Sisial Enfys, ei hwyres fach pump a hanner oed – ac roedd yr hanner yn bwysig iawn.

'Naci, tad!' protestiodd Siôn.

'Ches i ddim Cheerios i frecwast, bora 'ma. Doedd 'na ddim amser. Dim ond banana ges i. Ac mi o'dd rhaid i mi fyta honno'n car. A tydi Dad ddim wedi siafio na molchi,' meddai'r llais bach eto.

Ciledrychodd Siôn ar ei fam gan wenu'n euog a'i lygaid glas yn pefrio. Meddalodd ei chalon yn syth. Allai neb fod yn flin am yn hir iawn efo Siôn. Roedd ganddo'r ddawn i swyno pawb. Wel, ar wahân i'w nain falla. Yn wahanol i'r arfer, roedd Carys wedi amau bod golwg digon di-raen ar ei chyntaf-anedig y bore hwnnw. Beth bynnag, di-raen neu beidio, doedd dim dwywaith fod Siôn yn bishyn. Doedd dim owns o fraster ar ei gorff, effaith oriau yn y *gym*, mae'n debyg. Dangosai ei wên ddireidus resiad o ddannedd syth claerwyn. Symudodd y cudyn o wallt cyrliog golau oedd wedi disgyn dros ei lygaid. Gallai swyno unrhyw un. Yn union fel ei dad gynt.

Byddai Carys yn meddwl amdano weithiau. Tad Siôn. John. Yr unig beth roedd hi'n gwybod amdano oedd ei enw. Wel, hynny ydi, ei enw bedydd. Doedd ganddi ddim syniad beth oedd ei gyfenw na'i hanes, heblaw ei fod bryd hynny yn fyfyriwr ym mhrifysgol Bryste yn astudio'r Gyfraith. A hwythau'n ifanc a gwirion yng ngwres yr haul, doedd rhyw fanylion felly ddim yn bwysig.

'Sut fuest ti mor anghyfrifol a gwirion, hogan?' Poerodd Thelma y geiriau i'w hwyneb ar ôl iddi fagu digon o blwc i ddweud ei bod hi'n disgwyl babi wrth ei mam a'i thad ryw nos Sadwrn. 'Be haru ti'n dod â'r fath gywilydd a gwarth ar dy dad a finna? O'n i'n meddwl ein bod ni wedi dy fagu di i fihafio'n well na hynna. Be ddeudith pobol y pentra 'ma?'

Ddwedodd ei thad ddim gair o'i ben. Eisteddodd yn fud gan syllu ar *The Russ Abbott Show* ar y teledu.

'Ti'n siŵr dy fod ti am ei gadw fo?' roedd Thelma wedi ei ofyn iddi wedyn. 'Be am goleg? Sut fedri di fynd rŵan? Difetha dy hun, difetha dy fywyd. A phaid ti â meiddio meddwl fy mod i a dy dad yn mynd i'w fagu fo. Mi wyt ti wedi gneud dy wely, 'mechan i... Dwyt ti ddim hyd yn oed yn gwbod sut i gael gafael ar y tad i ddeud wrtho fo! W't ti'n gwbod pwy ydi'r tad, dyna ydi'r cwestiwn? Bihafio rêl rhyw hen slwtan...'

''Na ddigon, Thelma!'

Chlywodd Carys erioed mo'i thad yn codi ei lais cyn nac ar ôl hynny.

'Dyna ddigon.'

O oedd, roedd 'na fistar ar feistres Mostyn hyd yn oed. Hen derier bach iaplyd oedd Thelma. Ond roedd un cyfarthiad gan yr alsatian, Dafydd Owen, yn ddigon i hel y terier bach, ei mam, i'w chwt a'i chynffon rhwng ei gafl.

'Ma pawb yn gneud camgymeriadau,' medda fo wedyn. 'Ddim Carys fydd y cynta na'r ola. Ond ddim tra bydd 'na chwythiad yna fi ma'i haddysg hi yn mynd i gael cam oherwydd hyn. Ma hi'n mynd i'r coleg. Ma hi'n mynd i drenio'n ditsiar.

Mi wna i'n siŵr o hynny tasa rhaid i mi ei fagu fo neu hi fy hun.'

Ond er addewid cadarn Dafydd Owen, aeth yr un o'i thraed hi yn agos i unrhyw goleg yn anffodus. Rhoddodd Dafydd Owen ei chwythiad olaf dair wythnos union ar ôl geni Siôn. Damwain car angheuol. Roedd hi wedi rhewi'n galed y noson honno. Sgidiodd gan golli rheolaeth lwyr ar y rhew du. Yn dod i'w gwfwr, yn eironig, yr eiliad honno, oedd lori graeanu. Doedd gan y Mini Metro Vanden Plas ddim gobaith yn erbyn y lori artic. Wedi picied allan i nôl llefrith powdr i Siôn oedd ei thad. Doedd Carys ddim yn cael hwyl o gwbl ar fwydo o'r fron ac roedd yr ymwelydd iechyd yn boenus bod Siôn yn araf deg yn magu pwysau. Awgrymodd falla y byddai'n syniad iddi ei drio fo ar y botel. Roedd Dafydd wedi neidio i'r car i nôl llefrith powdr a photeli ar ôl gweld Siôn yn sgrechian y tŷ i lawr ers oriau a Carys yn ei dagrau yn stryglio i'w fwydo. Faddeuodd Thelma fyth i Carys, ac yn enwedig i Siôn, am fod yn gyfrifol am farwolaeth ei gŵr. Aros adref i fagu ei mab fu hanes Carys wedyn.

Ambell waith pan fyddai hi wedi cael gwydriad neu ddau yn ormod o win ac wedi hen ddiflasu gwylio *Casualty* ar y bocs ar nos Sadwrn, byddai'n chwilio am John ar Ffesbwc. Tybed beth oedd o'n ei wneud? Tybed sut oedd o'n edrych erbyn hyn? Oedd y blynyddoedd wedi bod yn glên efo fo? Go lew fuon nhw efo hi. Ers blynyddoedd dibynnai Carys ar gynnyrch Mr Schwarzkopf i guddio'r brithni. Yn ddiweddar, dibynnai hefyd ar batshys HRT i gadw'r fflyshys, y blinder a'r deffro yn yr oriau mân yn chwys laddar, draw. Ond doedd dibynnu ar bethau melys ar y llaw arall, yn enwedig gwin a siocled, yn helpu dim arni i gyrraedd ei tharged yn y clwb colli pwysau chwaith. Falla fod John bellach yn foel fel wy a'i fol fel twba lwcus. Er o'r hyn yr oedd hi'n cofio amdano bron i ddeugain mlynedd yn ôl roedd o'n uffar o bishyn. Hync o'r radd flaenaf, corff ffit, mop o wallt golau cyrliog wedi'i dorri'n gwta a llygaid lliw saffir fel llygaid y boi hwnnw yn yr adfyrt Fry's Turkish Delight erstalwm. A'r wên, o, y wên oedd yn gwneud iddi fynd yn groen gŵydd drosti.

Ond gan nad oedd ganddi glem beth oedd ei gyfenw, heb sôn am o le yr oedd o'n dod, mi roedd ganddi gystal siawns o gael hyd iddo â'r nodwydd ddiharebol honno mewn tas wair. O'r prin gof roedd ganddi o'i acen, gallai ddod o unrhyw le is na Dolgellau.

'John dw i,' roedd o wedi dweud wrthi. Fel John Travolta roedd hithau wedi meddwl ar y pryd. Er doedd o ddim byd tebyg i hwnnw chwaith efo'i wallt golau cyrliog. Er mi roedd eu sefyllfa yn un eithaf tebyg i sefyllfa Danny a Sandy yn y ffilm *Grease* honno, hoff ffilm Carys erioed. Fel Danny a Sandy roedd John a hithau wedi cyfarfod ar wyliau ac wedi mwynhau romp a románs. Ond dyna'r unig debygrwydd yn anffodus. Adunwyd Danny a Sandy. Ac ar ôl sawl ffrae, camddealltwriaeth a gwahaniad, fel ymhob pob ffilm garu dda, cyffesodd y ddau eu cariad i'w gilydd gan hedfan i ffwrdd i'r machlud mewn car coch crand. Ond tydi pethau felly ddim yn digwydd mewn bywyd go iawn.

Ond un peth yr oedd hi'n ei gofio'n dda oedd y noson arbennig honno. Y noson gynnes serennog ar y traeth yn Faliraki. Roedd Helen, Nia a hithau eisoes wedi sylwi ar y pedwar hogyn oedd yn cyrraedd y traeth tua thri o'r gloch bob pnawn. Roedd hi'n amlwg o'u gwedd iddyn nhw fod ar eu traed yn clybio tan o leiaf bump. Un pnawn, a'r tair yn dechrau hel eu pethau i fynd yn eu holau i'w hapartment, dyma'r un mwyaf cegog a hyderus o'r criw yn troi atyn nhw.

'Ow, you're not leaving now are you, girls?' medda fo mewn acen Saesneg grand.

'What is it to you?' brathodd Helen gan wgu ar y llanc powld.

'Only asking. Don't get your knickers in a twist, or your bikini bottoms, I mean,' medda fo wedyn gan lygadu pen ôl y tair.

'Anwybyddwch y brych,' meddai Carys gan stwffio ei thywel a'r eli haul i'w bag.

'Chi'n siarad Cymraeg?' Cododd un o'r hogiau ar ei eistedd yn syn o glywed ei famiaith.

'Nadan. Swahili,' atebodd Helen yn gocan i gyd.

Anwybyddodd y Cymro'r sylw coeglyd. 'O ble chi'n dod, 'te?' gofynnodd gan symud cudyn o wallt tonnog golau o'i lygaid.

'Be 'di o i chdi?' meddai Helen yn siort yn ôl. 'Dewch, genod.' Roedd hi wedi llosgi ei hysgwyddau a chefn ei choesau ac yn ysu i fynd yn ôl i'r apartment am gawod ac i rwbio ychydig o *After Sun* ar y mannau briwedig. Doedd y ffaith ei bod hi ar lwgu ddim yn helpu pethau chwaith.

'From your tribe are they, John?' holodd y geg drachefn.

'Anwybyddwch y brych,' gwenodd y Cymro ar y gennod, gan ddangos rhes o ddannedd claerwyn syth.

Roedd y ffaith fod un o'r hogiau'n siarad iaith y nefoedd wedi lliniaru rhywfaint ar farn y tair. Roedd y ffaith fod yr un oedd yn siarad Cymraeg yn eithaf pishyn wedi helpu'r achos rhyw fymryn hefyd.

Felly pan gawsant wahoddiad i barti ar y traeth y noson honno, doedd dim angen fawr o berswâd ar y merched i fynd. Erbyn dallt roedd y pedwar hogyn yn fyfyrwyr ym mhrifysgol Bryste, yn astudio'r Gyfraith a newydd orffen eu hail flwyddyn. Ac fel y cyfaddefodd Adam wrthynt, yr un mwyaf powld ac un oedd yn amlwg yn ffansïo ei gyfle efo un o'r tair, roedden nhw wedi dod i Faliraki am y *sun, sea and sex.*

'Anwybyddwch Adam, twat yw e,' roedd John wedi'i ddweud wrthynt.

Roedd hi'n amlwg o'r cychwyn cyntaf ei fod o wedi cymryd ffansi at Carys. Thynnodd o mo'i lygaid oddi arni drwy'r nos. Ond tasa hi'n dod i hynny, thynnodd hithau mo'i llygaid oddi arno fynta chwaith. A phan newidiwyd tempo'r gerddoriaeth i smŵj, camodd tuag ati gan estyn ei law iddi. 'Ti am ddod i ddawnsio?' gofynnodd iddi gan wenu'n swil.

Symudodd y ddau i rythm y gân. Roedd Carys yn dal i'w chofio hyd heddiw, 'Save a Prayer' gan Duran Duran. Pan fyddai'n ei chlywed ambell dro ar y radio yn y car byddai ei chalon yn dechrau drybowndian. Byddai'n cael ei sgubo'n ôl i'r haf tangnefeddus hwnnw, a hithau ond yn ddwy ar bymtheg oed, ar y traeth euraid yn Rhodes. Yn ôl i freichiau ei chariad cyntaf, John.

Doedd hi'n difaru dim beth ddigwyddodd. Law yn llaw enciliodd y ddau oddi wrth weddill y criw a hwrlibwrli'r parti. Ffeindion nhw lonydd tu ôl i graig warcheidiol nobl. Dim siarad dim ond cusanu. Daeth y ddau i adnabod ei gilydd heb unrhyw eiriau. Yng ngolau gwan y lleuad a sŵn llepian tawel y tonnau doedd dim angen geiriau.

Treuliodd John a Carys weddill y gwyliau yng nghwmni ei gilydd. Oedd hi'n teimlo'n euog am adael y ddwy arall? Wrth gwrs doedd hi ddim.

Roedd hi'n dychwelyd adref ddeuddydd o'i flaen. Ar ei diwrnod olaf cyn ffarwelio, ysgrifennodd John ei rif ffôn hi ar yr unig ddarn o bapur yn ei feddiant ar y pryd, sef pishyn o bapur Wrigley's Juicy Fruit Chewing Gum oedd yn llechu ym mhoced ei jîns.

'Wna'i ffonio ti,' addawodd gan ei chusanu'n dyner. 'Fi moyn dy weld ti 'to,' meddai wedyn a'i lygaid glas yn syllu'n ddwfn i'w llygaid llaith hithau.

Ond er ei holl addewidion, mud fu'r ffôn yn lobi Tyddyn Bach.

'Cachiad nico fydda'i.'

Ysgytiwyd Carys yn ôl i'r presennol gan sŵn clep drws y dreifar yn cael ei gau'n wyllt. Gwenodd wrthi ei hun wrth weld Siôn yn sbrintio i gyfeiriad y drws ffrynt.

'Ma Dad newydd ddeud gair hyll,' datganodd y fechan. 'A ma fy mol i'n gneud sŵn mawr. Dwi isio bwyd.'

'Gei di rwbath i fwyta yn y maes awyr, pwt,' meddai Greta ei mam gan anwybyddu'r sylw am y rheg.

Agorwyd drws y car a sleifiodd Siôn yn ôl i'w sedd.

'Gest di o?' holodd ei fam.

Tynnodd Siôn ei basbort o boced ei jîns a'i chwifio yn yr awyr.

'Well i mi gadw hwn,' meddai Greta'n gwenu a chipio'r ddogfen bwysig o'i ddwylo a'i chadw yn ei bag efo'r ddwy arall.

Taniodd Siôn yr injan. 'Awê 'ta, lats, cyn i Nain ga'l thrombo.'

MEGIS CYCHWYN

'**P**AM YDAN NI wedi stopio?' holodd y fechan o'r cefn wedi deffro ar ôl pendwmpian. 'Ydan ni wedi cyrraedd?'

'Nain Llan sydd ddim yn teimlo'n dda,' ochneidiodd Carys a chamu allan o'r car ar ôl ei mam.

Cyrraedd? Cael a chael eu bod nhw'n mynd i ddal y ffleit ar y rât yma. Megis cychwyn oedden nhw.

'Dach chi'n iawn, Mam?' holodd gan wybod yr ateb cyn gofyn.

'Nac ydw. Yr hen 'ogyn 'na ydi bai.'

Sychodd Thelma ei cheg gyda rhyw hen disw oedd yn digwydd llechu yn ei siaced ar ôl iddi daflyd i fyny yn y gwrych gerllaw.

'Bai Siôn? Sut felly? Gawsoch chi ista yn y tu blaen a phob dim.'

'Tydi o'n dreifio fatha meniac! O'n i'n meddwl mod i'n marw yn mynd drwy dwnnal Penmaenmawr. Waeth na bod ar un o'r reids yn y Marine Lake 'na yn Rhyl erstalwm.' Un ddramatig fuodd Thelma erioed.

'Dach chi isio diod o ddŵr? Gin i botel yn y car, neu mi a'i i nôl un i chi.' Amneidiodd Carys i gyfeiriad garej y Black Cat ger Cyffordd Llandudno, lle roedd Siôn wedi gorfod gwneud gwyriad brys yn dilyn y ffaith fod ei nain ar fin chwydu unrhyw funud.

'Ia plis, a tyrd â phaced o fints i mi hefyd. Er mwyn i mi gael y blas hyll 'ma o 'ngheg.'

'Fydd 'na ddim mwy o droadau o hyn ymlaen, 'chi. Ma hi'n syth bin i Fanceinion bron,' ceisiodd Carys gysuro ei mam.

'O, gobeithio wir,' griddfanodd honno gan gychwyn yn ôl am y car. 'A ma gofyn i'r hen 'ogyn 'na arafu. Tasa fo heb anghofio ei basbort ac wedi gorfod troi yn ei ôl, fysa ddim rhaid iddo fo yrru mor wyllt na 'sa?'

Brasgamodd Carys i gyfeiriad y garej gan gyfri i ddeg o dan ei gwynt yr un pryd.

'Dach chi'n siŵr dach chi ddim isio ista wrth y ffenest?' gofynnodd Carys i'w mam gan gau ei gwregys diogelwch. Eisteddai Carys wrth y ffenest, ei mam yn y sedd ganol a rhyw ddieithryn yn y sedd wrth ei hochr.

'Bobol mawr nagoes. Ma fyma ddigon drwg thenciw.' Llyncodd Thelma ei phoer. Druan o Thelma, roedd hi'n cachu planciau'n barod a doedd yr eroplen ddim wedi codi eto hyd yn oed.

'Pawb yn iawn ochr yna?' Cododd Siôn ei fawd ochr arall yr eil lle roedd o, Sisial a Greta yn eistedd yn un rhes.

'Tsiampion diolch.' Eisteddodd Carys yn ei hôl yn ei sedd a rhoddodd ochenaid fach. Diolch i Dduw eu bod nhw yn eu seddau. Cael a chael oedd hi. Pum munud arall yn cyrraedd ac mi fyddai'r ddesg *check-in* wedi cau ac mi fyddai hi wedi bod yn gachu hwch go iawn arnyn nhw wedyn.

Cafodd ei mam bwl o ryw hen gyfog gwag ar yr M56 a bu'n rhaid i Siôn wneud gwyriad brys arall i mewn i *service station* Gaer. Yn y tŷ bach fuodd hi wedyn am hydoedd a'r tri arall yn cnoni y tu allan yn disgwyl amdani.

'Os fydd 'na ddamwain mi fydd hi wedi canu arnan ni yn y rhesi tu blaen 'ma, a ninna yn ista yn y *crumbling zone*,' meddai

Siôn gan roi winc fel roedd yr awyren yn dechrau symud yn araf ar hyd y rynwe.

'Be ddeudodd o?' holodd Thelma.

'Dim byd. Dim ond deud ein bod ni'n cychwyn,' meddai Carys gan roi pâr ar Siôn i gau ei geg a diolch bod ei mam yn drwm ei chlyw a bod sŵn yr injan wedi boddi sylw ei hŵyr.

'O grasusau,' meddai'i mam. 'O, dwi'n teimlo'n sâl.'

O na ddim eto, griddfanodd Carys iddi hi ei hun gan chwilota'n gynnil ym mhoced y sedd o'i blaen am fag chwydu, jyst rhag ofn. Wir roedd yna fwy o waith efo'i mam nag oedd yna efo plentyn.

'Meddwl dach chi, nerfau. Pam na wnewch chi ddarllen eich magasîn?' cynigiodd.

'Darllen? Darllen? Sut wyt ti'n disgwyl i mi fedru darllen yn y tun paraffîn yma? Arclwy mawr! Be oedd y sŵn 'na?'

Gafaelodd Thelma'n dynn ym mraich ei merch. Chlywodd Carys erioed ei mam yn defnyddio gair yr Arglwydd yn ofer o'r blaen.

'Dan ni'n crashio! Dan ni'n crashio!' ebychodd wedyn, 'O, Dduw mawr, be wna'i!'

'Mam fach, relacsiwch wir. Dim ond sŵn yr olwynion yn codi oedd o.'

'Fysa well taswn i wedi aros adra,' griddfanodd a'i dwy lygad wedi'u cau'n dynn. Roedd ei migyrnau'n wyn wrth iddi afael fel feis yn ei sedd.

'Rhy hwyr rŵan, tydi,' mwmiodd Carys o dan ei gwynt.

Drwy ryw ryfeddol wyrth, ac er mawr ryddhad i Thelma, llwyddodd y peilot i godi'r horwth o beiriant metel 32 mil o droedfeddi uwchben y ddaear a llwyddo i aros i fyny yno hefyd.

'Gewch chi agor eich llygaid rŵan, Mam.'

Ufuddhaodd Thelma. A llaciodd ei migyrnau yn y sedd.

'First time?' gofynnodd y bonheddwr a oedd yn eistedd drws nesaf iddi.

'I beg your pardon?' trodd Thelma ei phen a syllu'n hy efo'i llygaid pinnau bach brown ar y teithiwr.

'Flying. First time?' gwenodd arni'n glên.

'Yes. I don't like it at all.'

'It's the safest way of travelling, you know,' medda fo wedyn. 'It's by far safer than travelling by car or taking a train, things that most of us will do without even thinking about it.'

'You don't say, wir. Yes, I'm sure it is very safe. Safe for birds perhaps but not for people,' gwgodd Thelma ar y bonheddwr.

Yn dilyn y gwg gwardiodd y gŵr y tu ôl i'w lyfr.

'Fasach chi'n licio panad? Be gymrwch chi? Te 'ta coffi bach?' gofynnodd Carys i'w mam wrth weld y troli diodydd yn eu cyrraedd.

'Dwi ddim isio dim byd thenciw. Neu mi fydda'i isio mynd i'r tŷ bach.'

'Ga i rhain,' meddai Siôn wrth y ddwy gan roi winc slei i'w fam.

'Dwi'n iawn, Siôn. Dwi ddim isio dim byd,' pwysleisiodd Thelma eto.

'Ma'n well i chi yfed, 'chi, Nain. 'Dach chi ddim isio mynd yn *dehydrated*, nagoes,' meddai Siôn wedyn.

'*Dehydrated*? Ti rioed yn deud.'

Nodiodd Siôn ei ben. 'Ma rhywun yn hawdd iawn yn medru mynd yn *dehydrated* wrth fflio, 'chi.'

Ar y gair, pasiodd y stiwardes ddau dymbler o hylif pefriog tywyll i'r ddwy.

'Be ydi o?' holodd Thelma'n amheus.

'Dim ond Coke, Mam. Yfwch o. Neith les i chi,' 'wrjodd Carys.

'Fysa well gin i lemonêd deud y gwir.'

'Jyst yfwch o, Mam.'

Sipiodd Thelma yr hylif yn araf ofalus fel tasa hi'n amau gwenwyn. 'Mm, ma hwn yn blasu'n wahanol i'r stwff fydda i'n arfer ei brynu yn siop jips Llan 'cw.'

Yn reddfol bob nos Sadwrn byddai Thelma'n piciad i siop jips y pentref i brynu ffish (un bach), tsips, carton o bys a chan o Coke neu Fanta.

'Yr *altitude* ydi o, 'chi,' rhaffodd Carys gelwydd golau. 'Ma petha'n blasu'n wahanol am ein bod ni mor uchel.'

Edrychodd Thelma arni'n amheus. Cymerodd sip arall, un mwy y tro hwn. 'Mmm, wel. Ma o'n neis iawn beth bynnag. Neis iawn.'

Yfodd Thelma y Coke efo splash hegar o Bacardi ynddo ar ei dalcen. Chlywodd Carys ddim smic ganddi wedyn weddill y ffleit. O ganlyniad i'r alcohol diarth a'r diffyg cwsg y noson cynt, cysgodd Thelma'n braf gan rochian chwyrnu. Yn wir bu'n rhaid i Carys ymddiheuro'n llaes sawl gwaith i'r bonwr am chwyrnadau ei mam a'r ffaith ei bod hi hefyd yn mynnu defnyddio ei ysgwydd fel clustog. Fel roedd yr awyren yn glanio deffrodd Thelma. Edrychodd o'i chwmpas yn hurt.

'Ydan ni wedi cyrraedd?' gofynnodd gan ddylyfu gên. 'Wel, wir, dwi'n methu dallt y bobol yma sy'n gneud gymaint o ffŷs am fflio. Does 'na ddim byd ynddo fo, nagoes?'

TROI CLOCIAU

FEL ARFER, BYDDAI'R siwrnai o faes awyr Naples i Sorrento, er waethaf yr holl draffig, wedi cymryd rhyw awran dda. Dwy awr a hanner gymerodd hi i'r teulu bach.

Er fod Carys wedi bod yn ddigon hirben a threfnus i drefnu tacsi o flaen llaw i'w hebrwng, doedd dim golwg o'r tacsi na'r gyrrwr tu allan i'r maes awyr.

'Ti'n siŵr 'nest di fwcio'r dyddiad iawn?' pryfociodd Siôn.

'Do siŵr iawn. Yli, mae o lawr yn fyma,' pwyntiodd Carys i'r pishyn papur yn ei llaw. 'Awst y pumed am ddau o'r gloch.'

Ar ôl disgwyl dros ugain munud a mwy a dal dim golwg o'r tacsi, cafodd Carys y myll a ffoniodd y cwmni gan roi llond ceg iawn i'r dyn bach ben draw'r lein. Taerodd hwnnw fod y gyrrwr wedi bod yn sefyll tu allan i'r terminal yn disgwyl amdanynt hefo'i blac cardbord ac enw Carys Hughes wedi'i brintio arno'n fawr. Ond ar ôl disgwyl am dros hanner awr a dal dim golwg ohonynt roedd o wedi cael llond bol ac wedi gadael.

'What do you mean he's been and gone? He was supposed to meet us here at two o'clock,' meddai Carys yn chwys domen yng ngwres yr haul. 'Yes, two o'clock... What?' Disgynnodd gwep Carys i'r llawr pan glywodd yr ymateb ochr arall y lein. 'Right. I see. Well, thank you. Good bye.' Diffoddodd ei mobeil, rhoi ochenaid ddofn a dweud o dan ei gwynt, 'Cachu rwtsh.'

'Be sy?' gofynnodd ei mam yn boenus.

'O'n i ddim wedi sylweddoli eu bod nhw awr o'n blaenau ni yn fyma,' cyfaddefodd yn llawn embaras. 'O'n i'n meddwl eu bod nhw'r un amser â ni.'

'Be? Ydi hi'n hanner awr wedi tri yn fyma?' ebychodd Thelma gan jecio ei wats a oedd yn dweud celwydd wrthi bellach.

'Mae o wedi bod ac wedi mynd,' meddai Carys yn difaru ei henaid ei bod wedi penderfynu gwisgo jîns y bore hwnnw. Roeddynt yn boeth ac yn dynn o gwmpas ei chluniau yn y gwres pedair gradd ar hugain selsiws.

'O'n i'n meddwl ei fod o'n od clywed y peilot yn deud ei bod hi'n dri o'r gloch,' ategodd Greta.

Un cŵl braf oedd partner Siôn. Roedd Carys yn reit genfigennus ohoni ar adegau. Doedd fawr o ddim byd byth yn tarfu arni na'i chynhyrfu. Roedd Carys yn grediniol petai ei thŷ yn mynd ar dân na fyddai Greta yn troi blewyn. Hwyliodd drwy enedigaeth Sisial heb unrhyw ffỳs na ffwdan. Daeth y peth bach allan yn union fel rifyrsio car o'r garej. Mae'n debyg fod yr holl ioga a'r pilates wedi helpu. O ochrau Salford roedd hi'n hanu'n wreiddiol, symudodd ei theulu i Sir Fôn i fyw pan oedd hi'n un deg pedwar. Ond yn wahanol i'r rhan fwya sy'n symud i fyw i Gymru fe ddysgodd Greta siarad Cymraeg a bellach roedd hi'n rhugl. Er yn aml iawn roedd Carys yn amheus iawn o'i dewis o ddillad. Bohemaidd fyddai'r gair i ddisgrifio ei chwaeth. Heblaw yn ei gwaith fel nyrs milfeddygol, roedd Greta wastad i'w gweld yn gwisgo sgertiau hir lliwgar neu drowsusau *harem* a chrysau-T. Tueddai hefyd, er mawr loes i Thelma, i beidio â gwisgo bra y rhan fwyaf o'r amser. Styrbiwyd Thelma'n fawr pan ddaeth hi wyneb yn wyneb â Greta a'i bronnau y tro cyntaf.

'Oeddet ti'n gallu gweld ei nipls hi! Mi oedd y ddwy i weld

yn glir!' ebychodd wrth Carys ar y ffôn ar ôl i Siôn a Greta alw draw i'w gweld ryw bnawn Sul glawog. Y ddau bryd hynny ond newydd ddechrau mynd allan efo'i gilydd. 'Be haru'r hogan, na fasa hi'n gwisgo bra? Ma'r peth bron yn obsîn. Newydd adael cyn i'r ddau gyrraedd oedd Owie Pritchard ar ôl bod yma yn cyfri pres capel. Fysa fo wedi bod yn ddigon am y cradur. Hen lanc fatha fo.'

Ni wellodd argraff gyntaf Thelma o Greta flewyn pan wrthododd hi damaid o'i thorth frith enwog. *Pièce de résistance* Thelma oedd ei thorth frith. Byddai pawb a oedd yn galw yn Nhyddyn Bach yn gorfod blasu a phrofi sleisen. Broliai wrth bawb ei bod hi wedi ennill ddwywaith yn Sioe Môn efo hi. Cymaint oedd ei balchder yn ei thorth frith fel y byddai'n mynd draw i gydymdeimlo efo hwn a'r llall efo cerdyn cydymdeimlad yn un llaw a thorth frith yn y llaw arall.

'Ma Greta'n figan, Nain,' esboniodd Siôn wrthi.

'Figan?' gofynnodd ei nain yn ddrwgdybus. Waeth ei fod o wedi dweud ei bod hi'n aelod o gwlt cyfrin ddim.

'Fatha fejeterian ond yn fwy strict. Tydi hi ddim yn bwyta cynnyrch llaeth,' esboniodd Siôn yn syml.

'Ond does 'na ddim llefrith yn hon siŵr.'

'Ma 'na wyau a marjarîn a ballu ynddi, does,' meddai Siôn wedyn.

'Tydw i ddim yn bwyta cig, wyau, llefrith na physgod,' esboniodd Greta'n glên.

'Arglwy mawr, be mae'r beth bach yn ei fyta felly?' ebychodd Thelma. 'Dim rhyfedd dy fod ti'n edrych fel tasat ti'n byta gwellt dy wely,' meddai hi'n ddi-flewyn-ar-dafod yn ôl ei harfer.

Lliniarwyd mymryn ar gamwedd Greta pan fwytodd Siôn dair sleisen efo haen dew o fenyn arnyn nhw.

Beth bynnag am ei chwaeth mewn dillad a'i diet, roedd Greta'r beth ffeindia fyw. Byddai'n rhannu ei chalon ag unrhyw un. Ar ôl i Medwyn adael Carys a'i byd yn deilchion, byddai Greta'n galw'n aml i'w gweld hi gan ddod â rhyw gaserol figan i'w chanlyn ac er mawr syndod i Carys mi roedd o'n ddigon blasus. Byddai'n cynnig i Carys fynd efo hi a Sisial am dro ar y penwythnosau ac ati hefyd. Ar y llaw arall, petai Rebeca wedi bod o gwmpas yn hytrach na Greta, roedd Carys yn amau'n fawr na fyddai wedi gweld lliw tin honno.

A hithau'n aelod gweithgar o Gyfeillion y Ddaear ac yn poeni'n ddirfawr am ôl troed carbon a ballu, bu'n rhaid i Siôn ddefnyddio hynny o ddawn perswâd oedd ganddo fo ar Greta i'w chael hi i gytuno i hedfan i Sorrento. Yn ddiogwestiwn, teithio ar y trên oedd y cynllun gwreiddiol. Ond ar ôl gwneud ychydig o waith ymchwil i gost tocyn trên i dri a'r amser y byddai'n ei gymryd i gyrraedd, aberthodd Greta ei hegwyddorion. Roedd priodas Gethin yn cyfri fel amgylchiadau eithriadol, rhesymodd efo hi ei hun. A hefyd, roedd pris tri thocyn easyJet yn rhad fatha baw.

'Dwi isio bwyd,' cwynodd Sisial, pump a hanner oed.

'Be dan ni'n mynd i neud rŵan? Sut ydan ni'n mynd i gyrraedd yr hotel?' Roedd Thelma wedi dechrau mynd i banig erbyn hyn. Dychmygai'r pump ohonynt yn gorfod cysgu ar lawr y maes awyr ddim llai.

'Duwcs, gawn ni dacsi arall i fynd â ni. Ma 'na ddigon yma. Ella fydd yn rhaid i ni fynd mewn dau gar ond 'na fo, dewch,' meddai Carys yn galonnog.

Gan dynnu ei chês y tu ôl iddi, cychwynnodd gerdded yn sionc i gyfeiriad yr arhosfan tacsis gan drio peidio meddwl am y blister brwnt ar gefn ei sawdl. Ddylai hi ddim fod wedi gwisgo ei sandalau newydd, roedden nhw bellach yn rhwbio cefn ei throed yn boenus. Triodd beidio â meddwl gormod chwaith am gost ychwanegol y bil tacsi y byddai'n rhaid iddynt ei dalu.

Rhyddhad o'r mwyaf oedd cael eistedd yng nghyfforddusrwydd sedd gefn y tacsi *air conditioned*. Aethant drwy dri thwnnel hir a fyddai'n codi cywilydd ar dwnnel y Mersi heb sôn am dwneli Conwy a Phenmaenmawr. Edmygodd Carys olygfeydd godidog arfordir bae Naples yn ymestyn o'u blaenau a mynydd Vesuvius yn y cefndir. Ymlaen wedyn drwy drefi Meta, Piano di Sorrento a Sant'Agnello cyn cyrraedd Sorrento ei hun. Diolchodd Carys fod Thelma heb deimlo'r awydd i chwydu unwaith ar y lôn droellog, er bod ei gwedd yn llythrennol wyrdd ar ambell i gongl go siarp.

Rhyddhad pellach oedd cyrraedd eu stafell yn y gwesty. Roedd wedi bod yn ddiwrnod a hanner ond roeddynt wedi cyrraedd o'r diwedd, diolch byth. Roedd yn westy difai chwarae teg, yn lân ac yn ganolog i sgwâr y dref. Er roedd yn rhaid i'w mam gael cwyno nad oedd cyfarpar gwneud te a choffi yn y stafell.

'Fasat ti'n meddwl y bysa ganddyn nhw betha i neud panad, basat,' meddai'n bwdlyd. 'A ninna yn Itali o bob man a nhwtha'n gymaint o yfwrs coffi.'

Cwyno oedd hanes Thelma adeg swper hefyd.

'Dwi ddim yn licio dim byd yma,' meddai gan droi ei thrwyn ar y bwffe amrywiol o'i blaen.

'Dwi am gymryd y *lasagne*,' meddai Carys gan godi talp go lew o'r saig ar ei phlât. 'Trïwch o, Mam. Fasach chi'n licio hwnnw efo ychydig o salad?'

'Oes 'na gaws ynddo fo?' llygadodd y pasta'n amheus.

'Wel oes.'

'Ti'n gwbod yn iawn mod i ddim yn licio caws.'

'Cymrwch y sbageti bolonês, 'ta, fatha Sisial,' triodd Carys wedyn.

'Dwi ddim yn licio sbageti. Cythraul o beth anodd i fyta. Fydda'i ddim yn meindio sbageti hŵps chwaith. Ma rheini ddigon neis ar dost.'

Biti ar y diawl na fysach chi wedi aros adref felly. Fysach chi'n cael bwyta faint fynnir o sbageti hŵps wedyn, meddyliodd Carys gan gyfri i ddeg ddwy waith.

DWI DDIM YN GNEUD *CARBS*

DOEDD THELMA FAWR gwell amser brecwast chwaith.
'Mm,' meddai gan lygadu'r bwffe'n feirniadol. 'Does 'na fawr o ddewis yma, nagoes.'

'Be dach chi'n feddwl "fawr o ddewis"!' ebychodd Carys gan bwyntio tuag at y llwyth o ddanteithion a seigiau o'u blaenau. 'Mae 'na bob mathau o bethau yma. Sbiwch, ma 'na ffrei-yp os dach chi isio, neu be am omlet bach? Ma 'na salads a chigoedd oer draw yn fan'cw.'

Troi ei thrwyn wnaeth ei mam.

'Neu be am iogwrt neu ffrwythau?'

'Dda gen i mo iogwrt,' meddai ei mam gan dynnu wyneb.

'Be am serial neu dost, 'ta?

'Does 'na ddim Ryvita yma, nagoes?'

'Mam, dach chi yn yr Eidal. Wrth gwrs does 'na ddim Ryvita. Cymrwch dost.'

Wedi hymian a haian am sbel, bodlonodd Thelma ar ddwy *croissant* wedi'u llenwi'n hael â chwstard melyn melys. Roedd y rheini i weld yn plesio, diolch i'r drefn.

'Wel, tawn ni'n marw! Yli pwy sydd newydd gerdded i mewn,' meddai ar fin rhoi cegaid o'i hail *croissant* i mewn i'w safn.

'George Clooney?' mwmiodd Carys yn ddi-hid.

Chododd hi mo'i phen o'i ffwl Inglish, roedd hi ar lwgu ac wedi hen arfer efo'i mam yn camgymryd pobol gwbl ddieithr am rai roedd hi'n eu hadnabod. Dim ond wythnos diwethaf yn Lidl roedd hi wedi mynd draw a dechrau sgwrsio'n glên efo dieithryn llwyr, Sais o ochrau Newcastle yn digwydd bod, yn holi pryd roedd o ac Alun yn perfformio nesaf yn Sir Fôn. Er nad oedd ganddo farf hyd yn oed, roedd yr hen Thelma wedi ei gamgymryd am John, o'r ddeuawd boblogaidd John ac Alun.

'Wel, sbia!' meddai wedyn gan bwnio braich Carys yn hegar. Yna dechreuodd chwifio ei braich yn wyllt i gyfeiriad y bwffe. 'Iw hw! Dewch i ista i fyma atan ni. Ma 'na ddwy sêt wag yn fyma.'

Roedd hi'n amser i Carys godi ei phen bellach. Gwyddai'n iawn nad oedd ei mam yn cyfarch Siôn, Greta a Sisial fach. Roedd hi'n lot rhy fuan i'r rheini ddangos eu hwynebau, er y gwyddai'n iawn y byddai Sisial yn ysu i fynd i'r pwll nofio.

Edrychodd i gyfeiriad y bwffe a phwy oedd yn chwilio'n daer am fwrdd gwag ond Medwyn a Llinos. Beth andros oedd y ddau yma yn ei wneud yn aros yn yr un gwesty â nhw? Roedd ganddi frith gof o Gethin yn dweud wrthi eu bod nhw'n lletya gyda chriw'r briodas. Cafodd Carys a'i mam a Siôn gynnig aros yno hefyd ond roedd y gwesty hwnnw yn bell, bell allan o'u cyrraedd. Yn hytrach, bwciodd Carys un o'r myrdd o westai tair seren diddrwg didda yn y dref. Y peth diwethaf roedd hi isio mwy na hoelen drwy ei phen oedd cyd-frecwasta gyda'i chyn-ŵr a'i bartner. Ond gan fod yr ystafell fwyta bellach dan ei sang roedd hi'n debyg nad oedd ganddi fawr o ddewis.

'Bore da, Thelma, dach chi'n o lew?' meddai Medwyn â gwên ffals wedi'i phlastro ar ei wyneb lleiniog. Roedd Medwyn yn un o'r rheini oedd wastad ar delerau da iawn efo fo ei hun. Eisteddodd i lawr dros y ffordd i Carys. Ceisiodd ddal ei llygaid a gwenu arni'n wan. Roedd Carys yn benderfynol o beidio â gwneud unrhyw fath o gyswllt llygaid efo'r snichyn.

O weld nad oedd gobaith cynnal sgwrs efo'i gyn-wraig, trodd Medwyn ei sylw at ei gyn-fam yng nghyfraith. 'Ew, mi ydach chi'n edrych yn dda, Thelma. Ydach chi wedi colli pwysau, dwch? Dach chi'n edrych yn fengach bob tro dwi'n eich gweld chi. Wir rŵan. Yn tydi, Llin?'

Tasa yna gystadleuaeth yn y grefft o wenieithu, yn ddi-ffael byddai Medwyn yn ennill y wobr gyntaf bob tro. Roedd yn bencampwr ar y grefft.

Gwenodd ei bartner presennol ar hyd ei thin. Welodd Carys neb fatha hi am fod yn gymaint o hen drwyn.

Roedd Thelma wedi mynd i'w gilydd i gyd a dechrau giglan yn wirion fel rhyw ferch ysgol, fel y byddai hi bob tro yng nghwmni ei chyn-fab yng nghyfraith. Cariodd Carys yn ei blaen i fwyta ei brecwast. Doedd ganddi ddim unrhyw awydd i fân siarad a malu awyr efo'r ddau yma o bawb.

'Wyddwn i ddim eich bod chi'n aros yn yr un hotel â ni. Pam 'nest di ddim sôn, Carys bach?' meddai ei mam.

'Wyddwn i ddim,' atebodd Carys yn swta.

'Dydyn ni ddim i fod yma,' brathodd Llinos. 'A dim ond am ddwy noson dan ni'n gorfod aros yn y twll lle. Diolch byth.'

Gwnaeth sioe fawr o osod y syrfiét bapur ar ei glin. Roedd yna olwg ar ei gwep denau fel petai hi'n ogleuo rhyw aroglau annymunol ar y gorau, ond y bore hwnnw roedd croen ei thin ar ei thalcen go iawn.

'Mi oedd 'na fistêc efo'r bwcing,' esboniodd Medwyn.

Aeth yn ei flaen i ddweud bod y ddau wedi cyrraedd Sorrento yn hwyr neithiwr ar ôl teithio ar y trên o Rufain. Ond drwy ryw anffawd gas roedd yna gamddealltwriaeth efo'u bwcing a doedd dim lle iddynt yn y llety tan y noson cyn y briodas. Cafodd Gethin alwad ffôn frys gan ei dad i ddod lawr i'r dderbynfa'r ffordd gyntaf i sortio'r blerwch. Ac ar ôl rhincian dannedd a chega mawr gan Llinos, awgrymodd efallai y byddai lle am ddwy noson yn y gwesty lle roedd ei fam a gweddill ei deulu'n aros. Yn ffodus roedd stafell ar gael, er ei bod hi'n berffaith amlwg nad oedd y lle'n plesio Llinos a hithau wedi arfer ei swanio hi ym moethusrwydd gwestai pum seren.

'Ydach chi'n edrych ymlaen at y briodas, 'ta?' holodd ei mam.

'Ew, ydan. Fy hogyn bach i'n priodi. Gawn ni sbort cawn, Llin?'

Ddwedodd Llin ddim gair o'i phen, dim ond codi ei llwy a gwneud sioe fawr o'i sychu'n drwyadl yn ei syrfiét bapur cyn dechrau bwyta. Ciledrychodd Carys ar bowlen Llinos oedd yn cynnwys ychydig o ffrwythau ac iogwrt. Aeth hithau yn ei blaen i gladdu platiad o sosej, bacwn, wyau wedi'u sgramblo, myshrwms a bîns.

'Faint o'r gloch ydan ni'n cyfarfod am y rihyrsal heddiw, dwch?' holodd Medwyn gan dyrchu i'w ffrei-yp yntau.

Rhyfedd, doedd rhai pethau byth yn newid, meddyliodd Carys. Roedd Medwyn wastad wedi bod yn un am ei frecwast llawn. Daeth y blynyddoedd o Sadyrnau yn ôl i'w chof pan fyddai'r ddau yn cael ffrei-yp i ginio – y wyrcs, yn cynnwys bara saim, hash browns a phwdin gwaed. Daeth hi'n ffwl stop ar y ffrei-yps ar ôl i Medwyn adael. Wnaeth Carys ddim trafferthu wedyn. Doedd yr un awydd ddim yna bellach. I beth yr âi hi i drafferth i ffrio i un? Cawl, brechdan sydyn neu wy 'di'i ferwi oedd hi i ginio ar ddydd Sadwrn bellach.

'Pump,' atebodd Carys yn swta.

'Pump?' ebychodd ei mam. 'Mae'n hwyr iawn, tydi?'

'Duwcs, geith rywun gyfle i ymlacio wrth y pwll bora 'ma a gweld ychydig o'r dre wedyn,' awgrymodd Medwyn.

'Digon gwir, Medwyn bach, syniad da.' Gwenodd Thelma'n glên ar Medwyn. Cyfrodd Carys i ddeg. Tasa hi wedi awgrymu hynny wrth ei mam byddai Thelma siŵr o fod wedi tynnu'n groes. Gwyddai'n iawn nad oedd ei mam yn un dda yn y gwres, a fedrai hi ddim nofio strocen.

'Dydach chi ddim wedi cymryd y *pastries*?' holodd Thelma ar ôl llygadu cynnwys brecwast y ddau. 'Rhaid i chi ga'l rhai. Ew, ma'n nhw'n neis.'

'Dwi ddim yn gneud *carbs*,' datganodd Llinos gan barhau i bigo ar ei ffrwythau.

'Duwcs, neith un bach ddim drwg, siŵr,' 'wrjodd Thelma.

'Dim diolch,' chwyrnodd Llinos. Tasa Thelma yn trio pwshio drygs arni ni fyddai ei hymateb yn ffyrnicach.

Tawelwch anghyfforddus wedyn rhwng y pedwar hyd nes i Llinos benderfynu cwyno. 'Mi ddylai fod yna weitar yn dod rownd y byrddau yn cynnig te neu goffi. Tydi o ddim yn iawn fod rhywun yn gorfod codi i wneud ei baned ei hun. A hen goffi gwan di-flas ydi o ar ben hynny.'

'A does 'na ddim petha gneud panad yn y stafell chwaith,' ategodd Thelma yn falch ei bod wedi dod o hyd i gefnogwr brwd arall i ddiffygion darpariaeth te a choffi y gwesty.

Roedd Carys yn gorfod brathu ei thafod rhag awgrymu bod y ddwy gwynwraig yn codi eu pac felly ac yn mynd i chwilio am westy arall lle roedd gwell coffi ar gael. Ond yn hytrach ochneidiodd yn ddwfn a chario yn ei blaen i fwyta ar hast er mwyn iddi gael gadael.

'Ew, pwy 'sa'n meddwl? Geth ni yn priodi,' meddai Medwyn cyn stwffio darn o sosej mawr i mewn i'w safn.

'Wel, mae o'n dri deg dau. Mae'n amser iddo fo setlo lawr,' atebodd Carys yn bigog.

'Wel, ia, ma rhywun yn anghofio, tydi? Mae rhywun yn

dal i feddwl amdano fo'n hogyn bach o hyd,' ategodd Thelma. 'Oeddech chi'ch dau wedi hen briodi yn ei oed o. Ow, dwi'n cofio'r diwrnod fel tasa fo'n ddoe. Diwrnod da oedd o, 'te? Ac yn ddiwrnod braf, mis Ebrill oedd hi, 'te? O'dd yr haul allan er mi roedd hi'n chwythu braidd a chditha'n cael trafferth efo dy fêl, Carys. A dy fam a finnau, Medwyn, y ddwy ohonon ni am y gorau i gadw ein hetiau am ein pennau.'

Rhoddodd Carys gic ysgafn i'w mam yn ei choes o dan y bwrdd yn y gobaith y byddai'n cael yr hint i gau ei cheg. Be haru'r ddynes yn hel atgofion am ddiwrnod eu priodas fel hyn? Byddai'n rheitiach o'r hanner iddi atgoffa Medwyn am y dydd Sadwrn arall hwnnw. Y dydd Sadwrn hwnnw dair blynedd yn ôl. Diwrnod mwll a llwyd ym mis Chwefror pan baciodd ei gês a symud allan gan chwalu bywyd ei merch yn deilchion.

Weithiodd y gic ddim, gwaetha'r modd. Doedd Thelma ddim wedi gorffen eto. Aeth yn ei blaen i hel mwy o atgofion am eu diwrnod mawr.

'Ti'n cofio het dy fam yn fflio oddi ar ei phen yn ystod y lluniau, Medwyn? A dy fam yn hel dy dad, y creadur diawl, i'r fynwent i'w nôl hi. "Fy het i! Fy het ddrud i! Dos i nôl fy het i, Gwynfor!" A hwnnw wedyn yn stryffaglio ac yn camu rhwng y cerrig beddi i gael gafael ar yr het. A phan lwyddodd o i gael gafael arni, dyma fo jyst yn ei phloncio hi ar ben dy fam a honno wedyn yn cega'n flin efo fo. "Gwylia fy siampŵ a set fi!" Mi oedd 'na fwy nag un llun ohoni hi efo'i het yn sgi-wiff ar ei phen. Ew, diwrnod da gawsom ni, 'te?'

Chytunodd neb efo hi a disgynnodd tawelwch anghyfforddus fel blanced dros y bwrdd.

Crafodd Medwyn ei wddw cyn dweud, 'Fysa'n well i ni fynd dwi'n meddwl. Barod?' Amneidiodd i gyfeiriad Llinos. Cododd hithau ar ei thraed yn syth, yn falch o gael dianc.

'Ond dach chi ddim wedi gorffen eich brecwast,' meddai Thelma o weld platiaid sosej, bacwn, wy a phwdin gwaed Medwyn ar ei hanner.

'Welwn ni chi yn y rihyrsal. Tyrd, Llin.'

Gwylion nhw'r ddau yn ei heglu hi'n dinfain o'r ystafell fwyta. Yr euog a ffy, meddyliodd Carys. Roedd atgofion yr hen Thelma yn amlwg wedi pricio cydwybod ei chyn-ŵr. Fyddai o byth bythoedd fel arfer yn gadael ei frecwast ar ei hanner fel'na. Roedd o'n ormod o hen fol a gwyddai'n dda cymaint roedd o'n joio ei ffwl Inglish. Gobeithio y byddai'r brych ar ei gythlwng rŵan. Eithaf gwaith ar yr uffar. Da 'wan, Mam.

'Duwcs, be o'dd mater ar y ddau yna, dŵa?'

Trodd Carys at Thelma a gwenu arni. 'Fasach chi'n licio i mi nôl paned ac un o'r *pastries* bach arall 'na i chi? Dwi am gymryd un fy hun dwi'n meddwl.'

NODYN I ATGOFFA

DAETH TUCHAN MAWR o gyfeiriad y gwely haul. Un arall eto fyth gan Thelma. 'O, ma'n boeth.'

Cyfrodd Carys i ddeg cyn ateb yn siriol, 'Yndi, ma'n boeth braf 'ma, tydi?'

'Rhy boeth i mi.'

'Pam na symudwch chi i'r cysgod, 'ta?' awgrymodd Carys am yr eildro'r bore hwnnw.

'Cha'i ddim lliw haul felly na chaf? A dwi angen ychydig o liw ar y coesau 'ma, tydw? Ddim dros fy nghrogi dwi'n gwisgo teits i'r briodas yn y gwres 'ma.'

'Ewch i'r pwll i gŵlio lawr ychydig, 'ta.'

'Ti'n gwbod yn iawn fedra'i ddim nofio, hogan!'

'Fedrwch chi ista wrth yr ochr a rhoi eich traed yn dŵr, medrwch? Ewch â'ch magasîn efo chi.'

'A cha'l y plant bach 'na sy'n sblashio'n fan 'cw yn glychu fy *Woman's Weekly* i? Callia, hogan.'

Argoledig, roedd ei mam yn waith caled. Doedd Carys ddim yn sylweddoli cymaint o waith caled oedd hi tan roedd hi'n gorfod bod yn ei chwmni bron bedair awr ar hugain y dydd. A welodd hi neb tebyg iddi am gwyno a rhedeg ar bawb a phopeth.

Holodd Carys hi'n gynharach a gysgodd hi'n o lew. Dylai hi fod yn gwybod yr ateb cyn gofyn.

'Dim winc. Weles i rioed fatras mor galed a lympiog a'r gobennydd fel waffer o dena. A'r hen beth 'na'n chwythu gwynt oer wedyn, mor swnllyd.'

Wrth gwrs roedd Siôn a Greta wedi bod odani ganddi. 'Be haru'r ddau yn libindian yn eu gwlâu? Mi fydd brecwast wedi gorffen ar y rât yma. Well i ti fynd i gnocio arnyn nhw, dŵa?'

'Mam, dim ond naw ydi hi. Tydi brecwast ddim yn gorffen tan ddeg. Gadwch lonydd iddyn nhw.'

Ond pan ddechreuodd hi sôn am Medwyn a Llinos dyna pryd y cafodd hi lond bol go iawn. Prin eu bod nhw ond newydd ista a setlo i lawr wrth y pwll pan ddechreuodd hi arni.

'Rhyfedd bod Medwyn a'i gariad yn aros yn yr un lle â ni, 'te.' O gael dim ymateb yn ôl gan ei merch, prociodd Thelma fwy. 'Medwyn yn edrych yn dda. Ydi o wedi colli pwysa, dŵa?'

'Do, dwch?'

'Dwi'n siŵr ei fod o. Ddim gymaint o fol ag o'dd ganddo fo. Ma siŵr fod y Llinos 'na wedi ei roi o ar ryw ddiet neu'i gilydd. Edrych felly, tydi? Wel, toes 'na ddim ohoni hi, nagoes. Fatha rasal. Welaist ti be oedd ei brecwast hi? Mymryn o grêps a ryw ddarnau o fala ac orenjys ac ychydig o iogwrt ar eu penna nhw. Dyna i gyd, a nath hi ddim hyd yn oed gorffen rhieni.'

Cadwodd Carys ei llyfr. Doedd dim pwynt iddi drio darllen a chanolbwyntio a'i mam fel rygarŷg wrth ei hochr. 'Mam,' brathodd yn ddifynedd. 'Tydi o ddiawl o ots gen i be gafodd y Llinos 'na i frecwast. Reit, dwi'n mynd i'r pwll.'

'Tasa chdi wedi edrych ar ôl dy ffigyr, ella fysa Medwyn ddim wedi mynd i snwyro o'i chwmpas hi.'

Anwybyddodd yr ergyd, er ei bod wedi'i brifo i'r byw. Olréit, falla bod Carys ychydig dros ei phwysau. A chyn y briodas roedd hi wedi bod yn trio ei gorau glas i golli rhyw fymryn. Ond rhyw ddau gam ymlaen ac yna cam yn ôl yr wythnos ganlynol oedd hi'n anffodus. Yn ystod ei phriodas â Medwyn roedd hi wastad yn faint deg neu ddeuddeg, dim ond wedyn ar ôl iddo ei gadael hi y dechreuodd hi droi at fwyd am gysur, yn enwedig melysfwyd. Roedd dillad maint pedwar ar ddeg bellach yn teimlo'n dynn ar adegau.

Cyn i Thelma gael cyfle i roi ei throed ynddi ymhellach, canodd mobeil Carys. Bustachodd Carys yn ei bag am ei ffôn bach.

'Pwy sy 'na?' holodd ei mam cyn i Carys gael at ei ffôn bron. Gwenodd wrth weld enw Gethin ar y sgrin.

'Haia Geth.'

'Haia Mam, ti'n iawn? Wrth y pwll dach chi? Braf arnoch chi.'

Roedd llais ei mab fenga wastad yn dod â gwên i'w hwyneb.

'Ia, dy nain a finnau. Dwi wrth fy modd yma. Siôn, Greta a Sisial heb lanio eto.'

'Be ma o isio? Ydi o'n iawn?' ddaeth y gri o'r gwely haul drws nesaf.

'Nain oedd honna?' gofynnodd Gethin o ben arall y lein. 'Cofiwch fi ati. Gwrandwch, fedra'i ddim siarad yn hir, ma gynnon ni gyfarfod arall eto bora 'ma efo Antonia, y trefnydd priodas. Y rheswm dwi'n ffonio ydi, mae Mam Rebeca isio i mi eich atgoffa chi mai am bump heno ma'r rihyrsal.'

Teimlodd Carys ei hun yn tynhau i gyd. Yn anffodus, roedd Mam Rebeca yn dueddol o gael yr effaith honno arni.

'Deuda wrth Meira ein bod ni'n cofio, wnei di?' atebodd yn reit swta.

Un arall oedd angen cyfri i ddeg a mwy efo hi oedd Meira Lloyd Jenkins, darpar fam yng nghyfraith Gethin. Diolch i'r drefn mai dim ond rhyw hanner dwsin o weithiau roedd Carys wedi ei chyfarfod. Ond roedd hynny wedi bod yn fwy na digon. Rhad ar Geth, druan, efo honna fel mam yng nghyfraith iddo. Cafodd Carys ei mesur pan gafodd hi'r fraint o'i chyfarfod hi am y tro cyntaf. Roedd Carys wedi mynd i lawr ar y trên i Gaerdydd am y penwythnos i aros efo Gethin a Rebeca ar ôl i'r ddau ddyweddïo. Amser cinio dydd Sadwrn roeddynt wedi trefnu i gyfarfod Meira a Iestyn, llysdad Rebeca i drafod trefniadau'r briodas.

Roedd hi'n glir fel jin o'r cychwyn cyntaf pwy oedd yn bwriadu trefnu'r briodas fwyaf a chrandiaf yn Sir Gaerfyrddin. Pan gyrhaeddodd Gethin, Rebeca a hithau'r tŷ bwyta roedd Meira a Iestyn eisoes wrth y bwrdd. O flaen Iestyn roedd gwydriad mawr o win coch. O flaen Meira roedd ffeil drwchus a gwydriad o ddŵr tap. Edrychai hi fwy fel petai ar fin cadeirio cyfarfod Cabinet y Cyngor na chyfarfod mam ei darpar fab yng nghyfraith.

Cyn i'r tri gael tynnu eu cotiau bron roedd Meira wedi agor y ffeil ac wedi estyn *spreadsheet* Excel a'i gosod o'i blaen. Yn ei llaw, wedi'i thanio'n barod, roedd Parker pen. Fyddai neb wedi troi blewyn petai wedi dosbarthu agenda i'r pedwar ohonyn nhw.

'Wy wastad wedi meddwl bod y Sulgwyn yn amser da i briodi,' datganodd. 'Ma'r tywydd wastad yn ffein ar ddydd Sadwrn ola Steddfod yr Urdd. Nawr, wy wedi gwirio argaeledd Plas Tan yr Onnen, ac yn ffodus ma'r dydd Sadwrn hwnnw'n rhydd. Ac felly wy wedi gofyn iddyn nhw gadw'r dyddiad i ni, *provisionally* wrth gwrs...'

'Mam, ni ddim moyn priodi fan hyn,' torrodd Rebeca ar ei thraws.

'Beth ti'n feddwl, Rebeca fach? So chi moyn priodi fan hyn? Ble arall chi'n bwriadu priodi, 'te?' gofynnodd Meira Lloyd Jenkins wedi'i lluchio'n lân.

'Ni'n bwriadu priodi yn yr Eidal. Yn Sorrento, on'd y'n ni, Gethin?'

Nodiodd hwnnw a gwenu'n glên ar ei ddyweddi.

'Sorrento?' ebychodd Meira mewn anghrediniaeth lwyr a'i bawd erbyn hyn yn fflicio'n ôl ac ymlaen yn wyllt ar ben y Parker pen. Waeth bo Rebeca wedi datgan ei bod hi a Gethin yn bwriadu priodi ar y lleuad ddim.

'Ie, fuon ni yna ar ein gwylie llynedd, os chi'n cofio. Ma fe'n leoliad *mor* romantic, fi – ni – moyn priodi 'na, on'd y'n ni, Gethin?' nodiodd Beca draw ar ei dyweddi fel arwydd iddo ategu eu dymuniad.

Ufuddhaodd yntau'n syth gan nodio ei ben yn wyllt. Gobeithiai Carys nad oedd o dan y fawd yn barod.

'Wel, os taw 'na beth ti moyn, cariad bach,' meddai ei mam yn gyndyn.

'Ie, ac wy – ni – wedi ffindo cwmni da sy'n trefnu priodasau yn Sorrento. A ma'n nhw wedi cytuno i drefnu popeth bron,' byrlymodd Rebeca.

Disgynnodd gwep Meira i'r llawr. 'O, reit. Wy'n gweld.'

Caeodd ei ffeil ridyndant yn glep.

Onid hwn oedd y digwyddiad yr oedd hi wedi bod yn edrych ymlaen at ei drefnu ers pan oedd Rebeca fach yn ei chrud a chyn hynny hyd yn oed? Chafodd Meira ddim mo'r briodas wen grand roedd hi wedi breuddwydio amdani ers pan roedd hi'n ferch fach. Ddim y tro cyntaf na'r ail waith chwaith. Y tro cyntaf, a hithau yng nghanol y paratoadau, chwalwyd ei byd pan aeth ei thad yn wael efo canser a chawsant wybod nad oedd ganddo lawer o amser ar ôl. Penderfynwyd dod â'r briodas fisoedd ymlaen a phriodwyd Gareth a hithau o flaen llond dwrn o ffrindiau a theulu agos yng nghapel Jerwsalem. Prynodd y ffrog gyntaf iddi ei thrio amdani. Roedd ganddi bethau pwysicach i feddwl amdanyn nhw na ffrog briodas, gan gynnwys a oedd ei thad yn mynd i fod ddigon cryf ac iach i gydgerdded i lawr yr eil efo hi. Chwe blynedd yn ddiweddarach pan briododd hi a Iestyn, Swyddfa Gofrestru Caerfyrddin oedd y lleoliad a hynny yng nghwmni ugain o westeion. Priodas Rebeca felly oedd y briodas na chafodd Meira mohoni ei hun.

Ond os nad oedd lleoliad y briodas yn ddigon drwg, tynnwyd y gwynt o'i hwyliau'n llwyr pan ddeallodd, mewn cyfarfod arall, rai wythnosau yn ddiweddarach, pryd roedd y briodas yn cael ei chynnal.

'Dechrau Awst? Dechrau Awst?' meddai mewn anghrediniaeth lwyr. Ddim ar boen ei bywyd roedd Meira'n bwriadu hepgor mynychu un o ddigwyddiadau pwysicaf ei chalendr cymdeithasol, os nad y pwysicaf. 'Allwch chi ddim priodi pryd 'nny, o's bosib! Chi yn sylweddoli beth arall sy mlân yr wthnos honno? Allwn ni ddim colli'r Steddfod!'

Doedd Carys ddim cweit yn deall beth oedd y ffŷs. Ond callaf dawo. Roedd yna flynyddoedd ers pan fuodd hi draw yn y Steddfod. Ac ar ôl y profiad hwnnw doedd hi ddim ar frys gwyllt i fynychu un arall chwaith. Cofiai gerdded yng nghanol y mwd mewn cae ym Modedern a gorfod ciwio am fws i fynd adref.

'Bydd rhaid i chi newid y dyddiad i'r wythnos ar ôl 'nny, neu'r wythnos wedyn hyd yn oed. Fydd dim problem wedyn, bach,' awgrymodd Meira'n glên yn dechrau cynhesu i'r syniad o briodas dramor mwyaf sydyn. Gallai weld ei hun rŵan wedi'i dilladu o'i chorun i'w sawdl yn y casgliad diweddaraf o siop Kathy Gittins, yn ei swanio hi ar y Maes ac wedyn dros wydriad o win yn Platiad yn cael datgan wrth bawb bod ei merch, sy'n gweithio yn y Cynulliad, a'i dyweddi, sy'n athro, yn priodi yn yr Eidal yr wythnos ganlynol.

Ond chwalwyd y darlun hwnnw'n rhacs pan gyhoeddodd Rebeca mai'r unig ddiwrnod rhydd drwy fis Gorffennaf ac Awst oedd y dydd Gwener cyntaf ym mis Awst. Roedden nhw'n hynod o ffodus bod y dyddiad ar gael a'r unig reswm ei fod oedd oherwydd bod y cwpwl gwreiddiol bellach wedi gwahanu. Yn ôl pob sôn, roedd y ddarpar briodferch a'r darpar was priodas wedi elôpio i Gretna Green. Beth bynnag, roedd hi'n amlwg mai Sorrento oedd y lle i briodi'r flwyddyn honno. Dyna pam roedd Rebeca, a oedd wastad *on point*, yn gwneud pwynt o briodi yno. Ond doedd yr aberth o beidio mynychu'r Genedlaethol ddim yn un hawdd i Meira Lloyd Jenkins.

'O'n i'n gwbod y basat ti'n cofio iawn, Mam. Ond ti'n gwbod sut un ydi Mam Rebeca.'

Gallai Carys glywed tinc o'r wên hoffus honno yn llais ei mab.

'Yndw, mond yn rhy dda, ' atebodd hithau.

Chwarddodd Gethin.

'Cofiwch ddeud wrth Siôn mai am bedwar mae o neu bydd o a Greta'n hwyr. Ti'n gwbod fel ma'n nhw. Ac mi eith Mam Rebeca i ben caets os fydd un ohonon ni'n hwyr. Ti'n gwbod lle mae o, dwyt? Dwi wedi tecstio'r cyfarwyddiadau i chdi'n barod. Cerddwch lawr i'r prif sgwâr, y Piazzo Tasso. Wedyn trowch i'r chwith, ac ewch i lawr ffordd reit gul am ychydig. Ma'r clwysty ar y dde, drws nesaf i'r Eglwys. Ffonia os dach chi'n mynd ar goll, iawn?'

'Paid â phoeni cymaint, Geth bach. Fyddwn ni'n siŵr o gael hyd iddo fo.' Roedd hi'n amlwg fod nerfau'r briodferch yn heintus a bod y darpar briodfab yn dioddef o'r un clwy' bellach. Doedd ymddygiad ei ddarpar fam yng nghyfraith, oedd wastad fel gafr ar daranau, ddim yn helpu pethau chwaith. 'Awn ni ddim ar goll. Ac os awn ni, wel, ma gen i Google Maps ar fy ffôn a ma gin i geg i ofyn y ffordd, does?'

'Sori, Mam, dwi jyst...' Tawodd Gethin.

'Jyst be, ngwas i?'

'Dwi jyst yn...'

'Yn teimlo'n nerfus?' gorffennodd Carys y frawddeg ar ei ran. 'Dwi'n gwbod, ngwas i. Ma pawb cyn priodi, sdi.'

'Be ma o'n ddeud, Carys? Ydi'r hogyn yn iawn?'

'Yndi tad, Mam, ddeuda'i wrthoch chi wedyn, olréit?' Arferiad rhwystredig arall ei mam, oedd yn mynd ar nerfau Carys, oedd mynnu torri ar draws a gofyn cwestiynau pan oedd hi'n siarad ar y ffôn. 'Yli, welwn ni chdi am bump, OK? A phaid â phoeni, Geth, fydd bob dim yn iawn, gei di weld. Deuda wrth y fam yng nghyfraith 'na sgin ti am gymryd *chill pill*, wir, a chymra dithau un hefyd.'

Chwarddodd Gethin yn wan.

'Hei, ma'r fforcast wedi newid, mae hi'n gaddo tywydd braf,' meddai wedyn mewn ymgais i godi ei galon.

'Yndi, tydi,' atebodd Gethin yn fflat er waetha'r ffaith fod duwiau'r tywydd am fod o'u plaid bellach.

Cyn i'r ddau gael cyfle i ffarwelio'n iawn, ac i Carys gadw ei ffôn, saethodd Thelma ei chwestiynau tuag ati. 'Oedd yr hogyn yn iawn? Be oedd ganddo fo i ddeud? Nerfus ydi o? Pam ei fod o'n teimlo'n nerfus?'

'O'dd o'n tsiampion. O'dd o'n cofio atoch chi ac yn deud ei fod o'n edrych ymlaen i'n gweld ni am bump,' meddai heb ymhelaethu'n bellach.

Er bod Carys wedi siarad a thecstio Gethin ers iddynt gyrraedd, roedd hi fymryn yn siomedig nad oedd hi wedi ei weld yn y cnawd. Yn dawel bach, roedd hi wedi hanner gobeithio y byddai wedi dod draw i'r gwesty neithiwr i'w gweld nhw, neu o leiaf wedi galw heibio'n sydyn. Mae'n rhaid ei fod yn rhy brysur efo trefniadau'r briodas, cysurodd ei hun. Roedd hi'n anodd iddi dderbyn ar adegau mai Rebeca oedd blaenoriaeth ei mab bellach. Yr ail feiolin fyddai hi o hyn ymlaen. Ac wrth gwrs pan ddeuai plant, byddai hi'n gostwng hyd yn oed yn is yn y rhengoedd. Cododd o'i gwely haul, camodd at ochr y pwll a thynnu ei sandalau. Plymiodd i mewn i'r dŵr oer.

BARCADI A COKE

ROEDD HI'N TYNNU am un ar ddeg ar Siôn, Greta a Sisial fach yn glanio wrth y pwll. Doedd yr un o draed y fechan yn bwriadu mynd yn agos i'r dŵr os nad oedd hi'n cael dolffin i chwarae efo fo. Felly tra roedd Greta yn ymarfer ioga yn eu stafell, aeth Siôn a Sisial i brynu dolffin. Roedd o wedi amau ar un pwynt y byddai'n treulio'r diwrnod cyfa yn chwilio am blincin dolffin i'w ferch benderfynol. Ond diolch byth cafwyd hyd i greadur plastig oedd rhywbeth yn debyg i'r mamal môr yn un o'r siopau ddim yn bell o'r sgwâr.

Ar ôl trampio o siop i siop, gallai Siôn, o'r diwedd, ymlacio a mwynhau ei hun wrth y pwll. Roedd o wedi bod yn edrych ymlaen at y foment yma ers cychwyn o'r tŷ bore ddoe. Gorwedd ar wely haul â pheint o gwrw oer wrth ei ochr. Nefoedd ar y ddaear. Duwcs, o hynny roedd o wedi ei weld o'r dref, doedd Sorrento ddim mor ddrwg. O ddewis, falla y byddai wedi bod yn well ganddo dalu am wyliau i Disneyland Paris neu Sbaen. Ond dyna fo, os mai yn Sorrento roedd ei frawd bach wedi dewis priodi, yna Sorrento amdani. Ddim am bris yn y byd y byddai'n colli priodas ei frawd er waethaf ei fod wedi gorfod talu am y blwming trip efo cerdyn credit.

Er y gwahaniaeth oed rhwng y ddau roedd Gethin a Siôn yn agos fel dau frawd. Pan dd'wedodd ei fam wrtho ei fod yn mynd i gael brawd neu chwaer fach, datganodd Siôn yn bendant mai brawd bach yr oedd o isio. Doedd o ddim isio chwaer wir! Brawd bach fel oedd gan Liam ac Iwan, ei fêts yn 'rysgol. Diolch byth mai brawd bach gyrhaeddodd ychydig fisoedd yn ddiweddarach neu mi fyddai gan ei fam a Medwyn waith esbonio mawr.

Er mai dim ond Siôn a'i fam oedd yna am bron i chwe blynedd cyntaf ei fywyd, derbyniodd bresenoldeb ei lysdad ym mywydau'r ddau yn ddi-lol a di-ffws. A chwarae teg i Medwyn, magodd Siôn fel ei fab ei hun. Ddangosodd o erioed unrhyw ffafriaeth wrth drin ei fab ei hun a'i lysfab, yn wahanol iawn i'w fam yng nghyfraith. Cynigiodd Medwyn joban fel prentis mecanic i Siôn ar ôl iddo adael yr ysgol, ac er waethaf ysgariad ei lysdad a'i fam daliai i weithio yno.

Pan laniodd Gethin roedd Siôn wedi gwirioni efo'i frawd bach. Methai'n lân â disgwyl iddo wneud rhywbeth heblaw cysgu, crio, bwyta a pw pw. Roedd o wrth ei fodd pan ddaeth Gethin yn ddigon hen i gicio pêl, chwarae cuddio a gwneud den efo fo. Heb sôn am wneud dryga efo'i gilydd. Byddai'n dal i bryfocio Gethin ynglŷn â'r diwrnod hwnnw, ac yntau ond yn gatyn bach, pan dyllodd o dwll i Seland Newydd.

'Mae Niw Siland ac Awstralia odanan ni, 'li,' esboniodd i'w frawd bach un pnawn a hithau'n wyliau'r haf. 'Ma'r byd yn grwn ac mi ydan ni ar y top ac ma Niw Siland odanan ni. Fedri di fynd yna os t'isio.'

'Sut?' gofynnodd Gethin, ei ddwy lygad yn fawr fel dwy soser, yn credu pob un gair oedd yn dod allan o enau ei frawd mawr.

'Drwy dyllu twll, 'de. Ddoi di allan yn eu hawyr nhw.'

Dyna lle bu Gethin wedyn drwy'r pnawn efo rhaw fach blastig lan môr a hen fforc, yn chwys drybola yn tyllu twll yng ngardd ei nain. Aeth o ddim yn bell iawn. Bob hyn a hyn byddai'n cymryd seibiant, gan roi ei ben bach cringoch i mewn i'r twll a gweiddi, 'Helô!... Helô? Dach chi'n clywed fi?...

Helô?' A Siôn yn ei wylio ochr arall i'r wal fach yn chwerthin o'i hochr hi.

Y noson honno, cafodd bryd o dafod go iawn gan ei nain am ddweud peth mor ddwl wrth ei frawd, 'Be haru ti, hogyn! Be taswn i wedi baglu neu droi fy nhroed yn y twll 'na? Cym di ofal deud peth mor wirion wrth dy frawd eto, ti'n dallt? Mi wyt ti'n hynach ac yn gallach i fod.'

Er bod Gethin bellach yn byw ac yn gweithio yng Nghaerdydd ac wedi treulio tair blynedd yn y Brifysgol yn Aberystwyth cyn hynny, tra bod Siôn heb symud o'i filltir sgwâr, byddai'r ddau yn FfêsTeimio'i gilydd yn weddol aml, y tynnu coes a'r pryfocio brawdol yn dal mor gryf ag erioed.

'Pwy sy'n dod i chwarae'n y pwll efo fi?' gwaeddodd Sisial ar ôl gorffen ei hufen iâ.

'Reit dwi'n mynd i'r bar i nôl diod. Rhywun isio rwbath?' cynigiodd Siôn gan godi o'i wely haul reit handi. Neu fel arall, yn ôl yn y pwll fyddai o ar ei ben yn chwarae siarcod efo Dan y dolffin, fel roedd o wedi bod yn ei wneud am y tri chwarter awr diwethaf.

'Dwi'n iawn diolch i ti, Siôn,' meddai Greta gan gadw ei llyfr *Advanced Yoga Practices – Easy Lessons for Ecstatic Living*. 'Tyrd i'r pwll, 'ta, Sisial,' meddai hi. Ar ôl bod yn gorwedd ar ei gwely haul yn darllen heb symud ers sbel, gallai wneud efo oeri fymryn yn y pwll.

Gwenodd Siôn wrth weld y ddwy yn mynd law yn llaw yng nghwmni Dan. Ar yr un gwynt, diolchodd fod Greta o'r diwedd wedi penderfynu codi oddi ar ei gwely haul i ddiddanu eu merch, er mwyn iddo fo gael llonydd am bum munud bach.

Trodd i gyfeiriad Thelma a oedd yn tsiecio sut liw oedd ar ei choesau erbyn hyn. 'Nain, dach chi isio diod?'

'Tyrd â Coke arall i mi, gwael.'

'Dach chi 'di cael dau yn barod,' meddai Carys gan edrych ar Siôn.

'Ti'n cadw cownt neu rwbath?' meddai ei mam reit sarrug. 'Mae'n boeth tydi a ma gin i syched a fiw i mi fynd yn *dehydrated*, na fydd?'

''Sa well i chi gael potel o ddŵr, dwch?' awgrymodd Carys wedyn.

'Dŵr? Dŵr?' ebychodd Thelma gan droi ei thrwyn. 'Choelia'i! Tyrd â Coke i mi, Siôn bach. Dyma chdi bres. Cadwa'r newid.'

Edrychodd Carys a Siôn yn syn ar ei gilydd. Doedd ei nain erioed o'r blaen wedi ei alw'n 'Siôn bach' nac erioed o'r blaen wedi talu am rownd o ddiod.

'Ma'n rhaid i mi ddeud ma Coke y wlad yma yn blasu lot neisiach na'r Coke sydd ar gael yng Nghymru. Am be, dwch? Ydyn nhw'n rhoi rwbath ecstra ynddo fo, dach chi'n meddwl?'

'Y gwres ydi o, chi,' meddai Siôn a rhoi winc ddireidus i Carys.

Gwres wir, gwaredodd hithau. Y Bacardi yn y Coke oedd yn gyfrifol am hynny. Dim ond gobeithio na fyddai gan ei mam benmaenmawr ar ei ôl o.

Ar ôl tri gwydriad o Bacardi a Coke chlywyd dim siw na miw wedyn o enau Thelma. Cysgodd â'i cheg yn agored ar ei *sun lounger* drwy'r prynhawn. Yn wir bu'n rhaid i Carys ei phwnio hi sawl gwaith i'w deffro, er mwyn iddynt fynd i ymolchi a newid ar gyfer y rihyrsal fawr am bump.

Roedd Carys wedi rhoi ei bryd ar gyrraedd o flaen Meira Lloyd Jenkins. Ond roedd dili dalio ei mam, o bawb, wedi rhoi'r caibosh ar hynny. Roedd y Cokes yr oedd hi wedi bod yn eu hyfed wedi ei llonyddu hi drwyddi. Doedd dim wmff ynddi o gwbl.

'Dewch yn eich blaen, Mam fach.' Ceisiodd Carys ei stryrio wrth ei gweld wedi ei lapio mewn tywel o hyd ar ôl ei chawod. Cawod a gymerodd tua ugain munud a mwy. Yn wir, mi fyddai Thelma'n dal yno oni bai i Carys fynd i mewn i tsiecio a oedd hi'n iawn. Wrth ei gweld mor hir meddyliodd yn siŵr ei bod wedi llithro yn y gawod ac wedi taro'i phen yn erbyn y teils. Gallai hyd yn oed weld y gwaed yn ymdroelli'n gymysg efo'r dŵr, yn union fel yn y ffilm *Psycho* honno. Aeth yn chwys oer drosti. Beth haru hi yn bod mor anghyfrifol yn gadael i Siôn stwffio alcohol ar ei mam a honno byth fel arfer yn cyffwrdd yn y stwff, ar wahân i ryw ambell i Snowball adeg Dolig? Rhuthrodd i mewn i'r stafell ymolchi yn disgwyl gweld ei mam yn llŷg ar y llawr.

'Tecach yw na'r lili dlos:
Dim ond calon lân all ganu –
Canu'r dydd a chanu'r nos.'

Dyna lle'r oedd ei mam yn seboni ei hun yn braf yn morio canu 'Calon Lân' yng nghanol y stêm.

'Be roi amdana i, dŵa?' gofynnodd gan syllu'n ddwys i mewn i'r wardrob.

'Jyst tarwch rwbath. Dewch, neu mi fyddan ni'n hwyr.'

'Trowsus a top, 'ta ffrog?'

'Trowsus a top,' atebodd Carys. 'Dyna dwi yn ei wisgo.' Roedd hi wedi tritio ei hun a phrynu trowsus tri chwarter lliw eirin a thop gwyn efo mymryn o ffril rownd y gwddw siâp V. Teimlai'n dda yn eu gwisgo. Roedd y top gwyn yn dangos ei lliw haul oedd yn datblygu'n ddel.

'Ond be taswn i'n boeth mewn trowsus?'

Ochenaid ddofn o gyfeiriad Carys. 'Rhowch ffrog, 'ta. Be am yr un leilac 'na?' awgrymodd Carys gan giledrych ar y ffrog gyntaf welodd hi'n hongian yn y wardrob.

'Mmm. Braidd yn dynn ydi honna wedi mynd.'

'Rhowch un arall, 'ta,' ochneidiodd Carys gan edrych eto ar ei wats a meddwl pam yn y byd mawr roedd ei mam wedi dod â ffrog oedd yn rhy dynn efo hi? 'Be am yr un crîm 'na, 'ta?'

'Ydi hi'n ddigon crand, dŵa? A linen ydi'r gnawas.'

'Neith hi'n iawn, Mam, dowch wir.'

'Ond os ydan ni'n mynd am fwyd wedyn, mi fydda i'n grîsis i gyd. Dwi ddim isio ista efo mam a thad y Rebeca bach 'na mewn ffrog sy'n rincyls. Be fysan nhw'n feddwl ohona'i?'

'Dwi'n siŵr fod gan mam Rebeca betha pwysicach i feddwl amdanyn nhw na'ch bod chi'n gwisgo ffrog sy'n rhycha i gyd. Dewch yn eich blaen wir, neu mi fyddan ni'n hwyr.'

'Duwcs, ma gynnon ni ddigon o amser siŵr,' meddai'r un oedd wastad hanner awr yn fuan, os nad yn fwy, i unrhyw le neu ddigwyddiad. 'Mi ro i'r rhain, dwi'n meddwl.'

Ar hynny, estynnodd Thelma drowsus crîm a thop llwyd a glas o'r wardrob. Bu am oes wedyn yn trio penderfynu beth i roi am ei thraed. Cyfrodd Carys i ddeg.

FATHA MEGHAN MARKLE

'O, CO NHW o'r diwedd!' datganodd Meira Lloyd Jenkins ar dop ei llais gan wneud sioe fawr o edrych ar y wats aur ar ei harddwrn. 'O'n ni ar fin anfon *search party* i whilo amdanoch chi.'

Gwenodd Carys yn wan a rhoi edrychiad a fyddai'n lladd dreigiau ar ei mam. Anwybyddodd Thelma hi. Roedd hi'n rhy brysur yn edrych o'i chwmpas yn fusneslyd.

Cymerodd Meira arni ei hun i gyflwyno pawb i'w gilydd yna rhuthrodd yn ei hôl ac ailafael yn ei thrafodaethau tanllyd efo'r trefnydd priodas. Roedd hi'n amlwg fod yna anghytuno mawr ynglŷn â rhyw fater neu'i gilydd.

Daeth Gethin draw at ei fam a'i nain gan wenu'n siriol ar y ddwy.

'O, dwi mor falch o'ch gweld chi,' meddai gan afael yn dynn yn ei fam. Roedd Carys mor falch o'i weld yntau o'r diwedd.

'Gad i mi gael gweld yr hogyn, wir,' meddai Thelma yn methu disgwyl i roi coflaid i'w hoff ŵyr. 'A finna wedi dŵad i'r hen Sorrento 'ma bob cam.'

Gollyngodd Carys ei mab er mwyn i'w mam gael rhoi coflaid iddo. Gwasgodd honno y creadur mor dynn nes iddi bron iawn â'i fygu.

'Bob dim yn mynd yn iawn?' gofynnodd ar ôl i'w nain lacio'i gafael ynddo. Nodiodd ei phen i gyfeiriad Rebeca, Meira Lloyd Jenkins a'r trefnydd priodas.

Disgynnodd wyneb ei mab. 'Ma lliw'r carped yn rong. A tydi'r cadeiria ddim yn plesio.'

'Be ti'n feddwl – ma lliw'r carped yn rong?'

'Un coch sydd ganddyn nhw a ma mam Rebeca isio un gwyn.'

'Carped coch sy 'na fel arfer, ia ddim?'

'Ma mam Rebeca'n ei weld o'n goman. A tydi o ddim yn mynd efo thema lliw'r briodas.'

Beryg mai clashio efo'r *oyster* pinc, lliw gwisg Meira oedd y carped, meddyliodd Carys iddi hi ei hun.

'A ma hi isio cadeiria efo ryw gyfars gwyn arnyn nhw, dim cadeiriau pren. Dwi ddim yn dallt, cadair ydi cadair i mi.'

'Gethin? Dere 'ma plis,' galwodd ei ddyweddi arno. Roedd golwg ar ei hwyneb fel tasa hi am grio unrhyw funud.

'Wela'i chi wedyn,' ochneidiodd Gethin gan ufuddhau i'r alwad.

'Wel, o'n i wedi disgwyl rwbath mwy crand na hyn,' datganodd Thelma ar ôl i Gethin droi ei gefn. 'I feddwl bod ni wedi dŵad yr holl ffordd i fyma. Dim ond ryw hen sgwâr ydi o. 'Sa waeth tasan nhw wedi priodi ym Mhortmeirion ddim. Gwell os rwbath. '

'Sh, cadwch eich llais i lawr,' ceryddodd Carys ei mam. 'Dewch, awn ni ista at Greta a Sisial allan o'r ffordd yn fan'cw.'

Roedd Greta wedi cael hyd i le i eistedd yn y cysgod o dan y bwâu ac roedd Sisial fach, yn fodlon ei byd, yn bwyta gelato'n awchus. Roedd Siôn yn cael smôc slei wrth y fynedfa.

'Fiw i mi ista ar y wal 'na, mi ga'i beils,' datganodd Thelma pan welodd fod disgwyl iddi barcio ei phen ôl ar wal garreg.

'Chewch chi ddim siŵr, hen lol ydi hynny.'

'Bod yn rhwym sy'n achosi peils nid eistedd ar lefydd oer.

Dach chi angen mwy o ffeibr yn eich diet,' diagnosiodd Greta a'i dwy lygad ynghau.

Edrychodd Thelma arni'n llaw dirmyg. 'Ers pryd ma hon wedi pasio'n ddoctor?'

Triodd ei gorau glas i falansio ar un foch ei thin fel nad oedd y ddwy'n cyffwrdd yn y wal, ond heb fawr o lwyddiant.

Edrychodd Carys o'i chwmpas. Anghytunai'n llwyr efo'i mam. Roedd y clwysty yn lleoliad perffaith ar gyfer cynnal gwasanaeth priodas. Fel petai Greta'n gallu darllen ei meddwl ategodd honno'n freuddwydiol,

'Mae'r lle hwn mor hudolus. Mor dawel. Lle delfrydol i gynnal priodas.'

'Mm,' snwffiodd Thelma gan sychu'r chwys oddi ar ei thalcen gyda'i hances a thrio balansio ar y foch arall yr un pryd. 'Mae capel, eglwys neu hyd yn oed swyddfa gofrestru yn lle delfrydol hefyd. Ddim y lleoliad sy'n bwysig, mechan i. Priodi sy'n bwysig.'

Gwyddai Carys mai sweip at Siôn a Greta oedd honna, am fyw dros y brwsh ers blynyddoedd.

'Fasat ti'n meddwl y bysa'r ddau'n priodi bellach, basat, a'r hogan fach 'na ganddyn nhw rŵan,' mynnai edliw rownd y ril wrth Carys.

Wnaeth Greta ddim ymateb i'r sylw. Doedd Carys ddim yn siŵr os mai calla' dawo oedd hi ar ran Greta, neu toedd hi ddim hyd yn oed wedi sylwi ar y sweip. Roedd hi'n anodd dweud efo Greta.

Syllodd Carys ar Medwyn yn tynnu lluniau o Llinos o dan y bwâu. Dyna lle roedd honno yn pôsio o'i hochr hi er mwyn rhoi'r lluniau i fyny ar ei chyfri Instagram. Syllodd Carys arni'n llawn cenfigen yn ei ffrog ysgafn liwgar flodeuog. Ffliciai ei gwallt tywyll hir tonnog yn ei ôl yn union fel tasa hi mewn rhyw hysbyseb siampŵ. Yn gynharach roedd hi wedi teimlo'n reit dda amdani ei hun yn ei thop a'i throwsus newydd ond o gymharu ei hun â Llinos, teimlai rŵan fel sach o datws. Hyd yn oed cyn geni Siôn, heb sôn am ar ôl ei *cesarean* yn dilyn genedigaeth Gethin, fuodd ei wast hi erioed mor gul a thenau ag un honno. O weld ei chyn-ŵr yng nghwmni ei Ferrari fflash, teimlai Carys yn union fel rhyw hen Ford Escort efo lot gormod o feilej ar y cloc.

Mi roedd ei mam yn iawn hefyd. Er ei fod o'n loes calon ganddi i orfod cyfaddef hynny, mi roedd Medwyn yn edrych yn dda. Edrychai lot gwell na phan oedd o efo hi. Edrychai flynyddoedd yn fengach yn un peth, yn ei *chinos* golau a'i grys pinc lliw samon llewys cwta trendi. Roedd o'n amlwg yn prynu ei ddillad mewn siopau gwahanol iawn i'r rhai roedd o'n arfer eu prynu nhw. Neu'r siopau lle roedd Llinos yn eu prynu nhw iddo fo, ella. Fyddai o byth bythoedd wedi meiddio gwisgo crys lliw pinc pan oedd o efo hi. Roedd o hefyd wedi gadael i'w wallt dyfu ac roedd yn ei siwtio fo fymryn yn hirach. Syniad Llinos, mwn. A doedd dim dwywaith ei fod wedi colli pwysau, o leiaf stôn os nad mwy. Dylanwad Llinos eto beryg. Ochneidiodd yn ddigalon. Pam, o pam, roedd o wedi llwyddo i golli pwysau a hithau wedi magu pwysau ar ôl iddynt wahanu?

'Reit, pawb i'w llefydd.'

Torrodd llais Sarjant Mejor Meira Lloyd Jenkins ar draws ei meddyliau. Roedd yr anghydfod ynglŷn â'r carped a'r cadeiriau wedi'i ddatrys mae'n rhaid, gan fod gwên fawr lydan ar ei hwyneb bellach.

'Gethin, Siôn, dewch i sefyll i'r tu blân plis. Sisial, cariad bach, cer 'da Wncwl Iestyn a Rebeca i'r cefen... Well i Mami gymryd yr hufen iâ 'na ife? 'Na ferch dda.'

Hawdd gweld mai athrawes oedd Meira Lloyd Jenkins, athrawes ddydd gŵyl a gwaith. Ond nid mewn ystafell ddosbarth yr oedd Sisial rŵan a dim ei hathrawes hi oedd mam Rebeca chwaith, felly anwybyddodd Sisial y cais gan wneud sioe fawr o lyfu'r gelato yng ngwyneb Meira Lloyd Jenkins. Trodd Meira i gyfeiriad Greta gan ddisgwyl i honno gymryd y gelato oddi arni neu ddweud rhywbeth. Ond roedd llygaid Greta yn dal ar gau a rhyw wên bell ar ei hwyneb. Roedd Carys yn amau'n gryf ei bod hi'n myfyrio. Fyddai hi ddim yn synnu.

Cyfrodd Meira i ddeg. Roedd hi'n cael trafferth mawr i ddal ei hun yn ôl rhag cipio'r gelato felltith oddi ar y ferch fach.

'Reit,' meddai, fel petai'n annerch dosbarth o blant blwyddyn un. 'Teulu'r briodferch ochr hyn a theulu'r priodfab ochr 'na. Brysiwch bawb.'

'Hwnna ydi tad Rebeca?' holodd Thelma ar ôl iddynt ufuddhau i'r gorchymyn i fynd i eistedd yn eu llefydd.

'Ei llysdad hi,' sibrydodd Carys.

'Lle mae ei thad go iawn hi, 'ta? Ydi o 'di marw?'

'Sh! Cadwch eich llais i lawr, wir!' ceryddodd ei mam oedd efo cloch wrth bob daint. 'Na, mae o'n dal yn fyw, dwi'n meddwl.'

'Pam tydi o ddim yn ei rhoi hi i ffwrdd, 'ta?'

'Dwi ddim yn gwbod, nacdw. Does 'na fawr o dda rhyngthyn nhw, yn ôl Gethin.'

'Wel, fasat ti'n meddwl y bysa fo'n dŵad i briodas ei unig ferch, basat,' wfftiodd Thelma gan setlo ei hun yn gyfforddus braf yn ei chadair ar ôl anghyfforddusdra blaenorol y wal. 'Fatha Meghan Markle yn union,' ategodd wedyn.

'Meghan Markle?' gofynnodd Carys yn ddryslyd.

'Ddoth tad honno ddim i briodas ei ferch chwaith naddo.

Prins Charles roddodd honno i ffwrdd, 'te. Mi oedd 'na ryw firi wedi bod yn fanno, doedd? Erbyn meddwl, ma 'na rwbath reit debyg i Prins Charles yn yr Iestyn 'na, ti ddim yn meddwl?'

'Tebygrwydd yn lle, dwch?' gofynnodd Carys yn syn yn methu'n glir â gweld unrhyw debygrwydd rhwng Carlo a'r pwtyn moel coesfyr a wisgai bâr o sbectols glas trendi.

'Y clustiau ydi o.'

'Tewch, Mam, wnewch chi!'

Sylwodd Carys fod Meira mewn trafodaethau dwys â'r pedwarawd llinynnol. Roedd hi'n mynnu bod y chwaraewr mandolin yn chwarae 'Llety'r Bugail' wrth i Rebeca a Iestyn gerdded i mewn. Safai'r trefnydd priodas gerllaw yn teimlo'n ridyndant ers meitin.

Dechreuodd Thelma durio yn ei bag. 'Sgin ti ddim Rennies arnat ti, nagoes?' gofynnodd ar ôl chwilota. 'Mae'r hen Coke 'na wedi codi cythgam o ddŵr poeth arna i.'

'Well i chi stopio ei yfed o felly, tydi,' awgrymodd Carys, yn meddwl pryd roedd y blincin rihyrsal am ddechrau. Roedd hi bellach yn tynnu am chwarter i chwech a hithau fel y rhan fwyaf o bawb arall oedd yno ar lwgu. Roedd Meira Lloyd Jenkins erbyn hyn yn siarad efo rhywun ar ei ffôn.

'Dylan, ti'n gariad! Diolch o galon. Mawr fydd dy wobr,' ebychodd ar dop ei llais. 'Os nag wy'n gweld ti cyn 'nny, wela'i di yn yr Ŵyl Cerdd Dant. So long, bach. '

Gyda'i chysylltiadau eisteddfodol roedd Meira Lloyd Jenkins wedi ffonio neb llai na Dylan Cernyw ac wedi esbonio'r broblem wrth y telynor clên. Roedd hwnnw wedi cytuno'n llawen i sganio copi o 'Llety'r Bugail' a'i e-bostio draw. O'r diwedd felly, ar ôl llwyddo i sortio'r ymdeithgan aeth Meira hithau i eistedd i lawr yn ei sedd. Rhoddodd nod siarp i gyfeiriad y trefnydd priodas fel petai'n rhoi caniatâd iddi gario yn ei blaen. Roedd Carys bron yn siŵr iddi weld honno yn rowlio ei llygaid a dweud rhywbeth mewn Eidaleg o dan ei gwynt. Rheg beryg.

Eisteddai Gethin a Siôn yn eu seddau ers meitin. Roedd Siôn wedi bod yn tynnu coes ei frawd bach, y banter brawdol arferol. Ond am ryw reswm, braidd yn unochrog oedd y banter y prynhawn hwnnw. Soniodd Siôn fel y bu'n rhoi Barcadi yn niod Thelma.

'Fedra'i ddim coelio dy fod ti wedi speicio diod Nain,' meddai gan ysgwyd ei ben. O'r diwedd roedd cysgod o wên ar wyneb ei frawd.

'Duwcs, llacio'i blwmar hi fymryn. Ti'n gwbod fel mae hi. A sôn am lacio. Mi wyt ti'n yp-teit ar y diawl. Be sy?'

'Dim. Does dim byd yn bod.'

'Paid â malu cachu efo fi. Dwi'n medru deud, Geth. Poeni am ddydd Gwener w't ti?'

'Nac ydw siŵr,' protestiodd yn gryf drachefn. Yna trodd rownd i edrych i'r cefn lle roedd ei ddarpar briodferch, ei lysdad a Sisial, a'i cheg yn llawn gelato pinc, yn disgwyl yn eiddgar i ddechrau'r ymarfer.

'Tydi hi ddim rhy hwyr i newid dy feddwl, sdi,' gwenodd Siôn yn bryfoclyd gan roi winc ddireidus ar ei frawd.

Trodd Gethin ei ben yn ôl i gyfeiriad Siôn. Syllodd i fyw ei lygaid. Roedd ei wyneb yn dweud cyfrolau.

'Ffwc, Geth!... Ydw i'n meddwl be dwi'n feddwl w't ti'n feddwl?'

Wrth glywed cyfeiliant y pedwarawd llinynnol yn cychwyn, cododd Gethin ar ei draed yn wyllt. Rhoddodd bwniad hegar i'w frawd. 'Tyrd, cod ar dy draed.' Crafodd ei wddf a llyncodd ei boer gan syllu yn ei flaen. 'Anghofia fo. Nerfau munud ola, dyna i gyd.'

Ond doedd Siôn ddim mor siŵr.

FFYCIN 'EL

'WEL, OS AIFF y briodas cystal â'r rihyrsal, fydd ddim isie i ni fecso o gwbwl,' datganodd Meira Lloyd Jenkins yn hunanfodlon braf wrth iddi gymryd ei sedd wrth y bwrdd bwyd. Bwrdd a oedd wedi ei osod ar gyfer yr un ar ddeg ohonynt yng ngardd y gwesty lle roedd Gethin a Rebeca i briodi ymhen deuddydd.

Er mawr ryddhad i bawb roedd Meira wedi cadw ei llyfr nodiadau erbyn hyn. Trwy'r rihyrsal dyna lle roedd hi efo'i llyfr bach a'i beiro yn ysgrifennu nodiadau'n wyllt fel petai'n cyfarwyddo drama neu ffilm. Nodiadau megis bod angen i Iestyn a Rebeca gerdded i mewn llawer iawn yn arafach, i Sisial fach beidio â chadw'n rhy agos at Rebeca rhag ofn iddi sefyll ar ei ffrog. Roedd angen hefyd i Gethin daflu ei lais fwy, doedd dim posib i neb ei glywed o'n dweud ei lwon priodas ac yntau'n mwmian.

'Wanwl, ma'n posh yma,' rhyfeddodd Thelma wrth iddi hi a Carys gerdded i mewn i'r gwesty. 'Fyswn i ddim yn licio meddwl faint ma hi'n gostio i aros yn fyma heb sôn am faint ma'r *reception* priodas yn ei gostio mewn lle fel hyn. Ma'n rhaid bod y Meira a'r Iestyn 'na'n graig o bres.'

Nodiodd Carys yn gytûn. Roedd hithau hefyd yn llawn edmygedd o'r lle. Doedd dim rhyfedd yn y byd fod Llinos o'i cho iddi orfod aros yn yr un gwesty â nhw os mai fan hyn roedd hi a Medwyn i fod i letya. Blin ar y diawl fyddai hithau hefyd.

Roedd y dderbynfa'n olau braf wedi'i haddurno mewn gwyn a glas tywyll chwaethus. Gallai Carys weld pam roedd Meira Lloyd Jenkins yn falch i'w hunig ferch ddewis yr union westy yma i gynnal y wledd briodas. Roedd hefyd mewn lleoliad perffaith ychydig tu allan i fwrlwm tref Sorrento ei hun. Arferai'r fila fawreddog fod yn gartref teuluol yn wreiddiol. Safai ar graig yn edrych allan ar y môr gyda golygfeydd anhygoel o ynys Capri i'r chwith a mynydd Vesuvius a bae Naples i'r dde.

Arweiniodd Meira y criw allan i'r teras lle roedd nifer eisoes yn mwynhau pryd o fwyd. Pwyntiodd i gyfeiriad bwrdd hir ger yr ardd lemonau a oedd yn amlwg wedi'i gadw ar eu cyfer.

'Fan hyn ar y teras bydd yr aperitifs yn cael eu gweini,' esboniodd â mwy na thinc o falchder yn ei llais. 'Ac wedyn byddwn ni'n mynd lan i'r teras arall sydd ar do'r gwesty ar gyfer y wledd briodas ei hun. Ma'r golygfeydd oddi yno yn anhygoel, credwch chi fi. Ni wedi llwyddo i gadw fe'n ecsclwsif i ni drwy'r nos. Fan 'nny bydd yr areithiau hefyd a'r dawnsio nes mlân. Wy wedi trefnu twmpath dawns i ni. Ma Iestyn am alw, yn dwyt ti, cariad?' meddai'n hynod o blês efo hi ei hun, fel tasa hi wedi llwyddo i gael Bryn Fôn a'r Band i berfformio.

'Dawnsio?' wfftiodd Thelma o dan ei gwynt. 'Geith hi fynd i ganu. Ddim efo'r glun giami 'ma sgin i.'

Yn rhyfedd iawn, sylwodd Carys nad oedd golwg o Rebeca yn unman. Pan ofynnodd i Gethin lle roedd hi, esboniodd hwnnw ei bod wedi mynd i drefnu cael stemio a phresio ei ffrog briodas.

Pan glywodd Carys y ddau air, ffrog briodas, aeth yn chwys oer drosti. Cafodd fflashbac i'r profiad trawmatig hwnnw. Doedd hi erioed wedi dod drosto. A ddeuai hi byth drosto fo chwaith. Sef y profiad arteithiol o drampio ar Sadyrnau am wythnosau, o un siop briodas i'r llall efo Rebeca a'i mam i chwilio am ffrog. Neu'n hytrach, y ffrog.

'O'dd Mami'n meddwl, gan taw dau o feibion sy gyda chi, ac felly na chewch chi byth mo'r cyfle i fynd i whilo am ffrog briodas gyda'ch merch, y byddech chi'n lico dod dan ni i whilo am ffrog?' cynigiodd Rebeca iddi yn fuan iawn ar ôl i Gethin a hithau ddyweddïo.

Ar y pryd roedd Carys wedi gwirioni ac yn gwerthfawrogi'r gwahoddiad yn fawr. Chwarae teg i'r ddwy am ei chynnwys hi yn y chwilio mawr am ffrog, meddyliodd. A mawr a maith fu'r chwilio hefyd!

Tasa hi'n gwybod hynny o flaen llaw byddai wedi gwrthod y gwahoddiad ar ei ben. Roedd hi wedi colli cownt ar sawl siop y bu'r tair ynddynt ar hyd a lled y wlad. Wedi i Rebeca drio ei seithfed ar hugain ffrog briodas, roedd Carys yn llythrennol yn tynnu gwallt ei phen ac mi roedd hyd yn oed y myddar of ddy breid wedi dechrau datblygu rhyw dwits yn ei llygaid dde. Doedd yr un yn plesio. Roedd rhywbeth o'i le efo pob un ffrog.

'Ma hon yn bert, Rebeca, pert iawn, on'd yw hi, Carys?' meddai Meira Lloyd Jenkins am yr ugeinfed ffrog briodas roedd Rebeca wedi ei thrio amdani a'i bysedd wedi'u croesi'n dynn tu ôl i'w chefn.

'Yndi, del iawn,' ategodd Carys yn ceisio tanio ychydig bach o'r brwdfrydedd oedd wedi hen edwino bellach. 'Y ddela eto.'

Trodd Rebeca ei chefn i wynebu'r drych gan dynnu wyneb eto fyth. 'Mm, sai'n siŵr... sai'n siŵr os wy'n lico'r patrwm, na'r cefen. Wy moyn e i fod yn is.'

'Is! Os bydd e lawer is fydd dy ben ôl di'n golwg!' ebychodd Meira Lloyd Jenkins a'i bol yn rymblian yn swnllyd. Roedd hi wedi hen basio amser cinio. Yr apwyntiad unwaith yn rhagor wedi mynd dros ei amser.

Yn wir, roedd rhywbeth yn bod ar bob un gown.

Un ai doedd y lliw ddim yn plesio, neu'r defnydd. Roedd y *train* yn rhy hir neu yn rhy gwta, y gwddw'n rhy uchel neu'n rhy isel. Y llewys ddim yn plesio, y patrwm ar y ffrog yn rhy ffysi neu ddim digon ffysi. Roedd eu hapwyntiad awr a hanner yn y bwtîcs wastad yn mynd drosodd er mawr rwystredigaeth i Carys a Meira heb sôn am y consyltant, druan. Ni chafodd Gok Wan na David Emanuel, na Randy Fenoli ar y gyfres *Say Yes To The Dress*, erioed gymaint o drafferth â hyn yn ffeindio ffrog i unrhyw briodferch.

'Wy'n lico hi, ond...' neu 'Ma hi'n bert ond sai'n credu ma hon yw'r *un*.'

Dyna oedd y sylw am bob ffrog roedd hi'n ei thrio amdani. Roedd yna wastad 'ond'.

Gallai Carys yn hawdd fod wedi ysgrifennu traethawd hir ar gynllunwyr ffrogiau priodas heb sôn am y gwahanol fathau o steiliau oedd ar gael. O *ballgowns* i *mermaid, fit and flare, boho, A line* a *trumpet*, roedd Rebeca wedi'u trio nhw i gyd. Ffrogiau les, ffrogiau plaen, rhai efo secwins, ffrogiau defnydd *tulle*, shiffon a *crêpe*. Yn wir, roedd Carys wedi mynd i weld ffrogiau priodas yn ei chwsg.

Pan benderfynodd Rebeca ddweud 'iawn i'r gown' o'r diwedd, fuodd Carys a Meira erioed mor falch. Fel y rhelyw o famau'r briodferch, oedd, roedd y dagrau'n powlio i lawr wyneb Meira, ond oherwydd y rhyddhad yn hytrach na'i bod hi o dan deimlad.

Dewisodd Rebeca ffrog lawn wen ramantaidd o ddefnydd organsa a *tulle*. Roedd yn feddal, ysgafn, yn llawn ryfflau efo cefn isel, ond ddim yn rhy isel i bechu Meira. Gown ddelfrydol ar gyfer priodas Awst yn yr Eidal. Wrth i Rebeca sefyll yn nrych y bwtîc, edrychai'n union fel model. Roedd y ffrog fel petai wedi'i gwneud ar ei chyfer. Ond wedi dweud hynny, gyda'i ffigwr *petite* a'i hwyneb tlws, byddai sach datws yn ddel amdani hi.

Daeth dŵr i lygaid Carys hefyd pan glywodd faint roedd y ffrog yn ei gostio. Beth haru'r hulpan wirion yn gwario dros dair mil o bunnoedd am ffrog? Ffrog roedd hi ond yn mynd i'w gwisgo am ychydig oriau mewn un diwrnod. Mwy o bres nag o sens, meddyliodd. Er mai dim ond am hanner y ffrog roedd Rebeca'n dalu o'i phwrs ei hun, gan fod Mami a Iestyn yn fforchio allan am yr hanner arall. Byddai wedi bod yn well o'r hanner tasa'r ddau wedi gwario ar rywbeth amgenach, mwy defnyddiol i'r pâr ifanc, meddyliodd Carys ar y pryd. Roedd Gethin wastad yn cwyno nad oedd y popty'n gweithio'n iawn yn eu tŷ ym Mhontcanna. Byddai wedi bod yn rheitiach a challach tasan nhw wedi prynu popty newydd i'r cwpwl. Byddai hynny wedi lleihau'r risg i'r ddau gael rhyw anfadwch megis salmonella. Cofiai Carys ond yn rhy dda pan arhosodd hi efo nhw fod y popty wedi cymryd hydoedd i goginio'r cyw iâr. Fytodd hi ddim ond dau gegiad, rhag ofn.

Am newid, bwytodd Thelma ei bwyd yn ddi-ffws y noson honno. Mae'n debyg bod gwell blas ar fwyd pan mae'n costio dros bum deg pum punt y pen, yn enwedig pan mae rhywun arall yn talu, diolch i garedigrwydd Iestyn a Meira Lloyd Jenkins. Ond wrth gwrs roedd rhaid iddi gael cynnig rhyw goment cyn cychwyn bwyta.

'Be gebyst ydi hwn, dwa?' sibrydodd wrth Carys pan osodwyd y dechreufwyd o'i blaen. 'Ydw i fod i'w fwyta fo, 'ta tynnu ei lun o?'

Roedd Meira wedi trefnu bod pawb, ar wahân i Sisial fach,

a oedd yn cael *pizza*, a Greta a oedd yn cael pryd figan, yn cael y *fine dining set menu*.

'Jyst bwytwch o'n dawel,' siarsiodd Carys gan gytuno i raddau â'i mam.

'Myshrwms ydi'r rheina?' Llygadodd Thelma y platiad o dryffl du lleol, y conffit o felynwy hufennog, *mayonnaise* wedi'i wneud â thomatos melyn a *foam* o gaws Provolone del Manoco, yn amheus.

Er hynny, bwytodd y cwbl yn awchus gan adael plât glân, yn wahanol i Carys a basiodd ei 'myshrwms' bondigrybwyll yn slei bach i Siôn oedd yn eistedd wrth ei hochr.

'Sut ti'n gweld Gethin?' holodd hwnnw hi munud y cafodd gefn ei nain pan aeth hi am fisit 'i'r *loo* i bowdro fy nhrwyn', chwedl hithau.

'Be ti'n feddwl, sut dwi'n gweld Gethin?' atebodd Carys yn ddryslyd. 'Iawn am wn i. Mae'r cradur bach i weld braidd yn nerfus am drennydd ond dydi hynny mond i'w ddisgwyl.'

'Mm. Dwi'n meddwl ei fod o'n fwy na hynny, sdi,' meddai Siôn yn ddifrifol.

'Be?' edrychodd Carys i fyw llygaid ei mab hynaf. 'Ti erioed yn deud ei fod o'n cael traed oer?'

Nodiodd yntau ei ben. 'Dwi'n meddwl ei fod o.'

'Paid â malu nhw, Siôn,' wfftiodd hithau gan chwerthin.

'Dwi'n deud wrthat ti. Siriys.'

'Ffycing hel,' ebychodd Carys o dan ei gwynt gan ollwng ei fforc ar y llawr.

'Ma Nain newydd ddeud gair hyll – "ffycing hel",' prepiodd y plismon iaith pump a hanner oed yr oedd ei chlyw cystal ag ystlum, os nad gwell. Yn dilyn yr honiad trodd pawb eu gorwelion i syllu'n syn ar Carys.

'Naddo, tad, ym... ym... "yli del" ddeudes i, 'te, Siôn?'

meddai Carys gan chwerthin yn wan. '"Yli del", medda fi am yr... ym... am yr haul yn mynd i lawr. Ia, dyna ddeudes i, 'te, Siôn?' meddai Carys wedyn ar ôl edrych o'i chwmpas yn wyllt i weld beth oedd o'i chwmpas oedd yn haeddu cael ei alw'n ddel.

O, 'na welliant,' ebychodd ei mam wrth gymryd ei lle yn ôl wrth y bwrdd. 'Oes 'na bwdin, dŵa?'

'Lle fuoch chi mor hir? O'n i'n dechrau ama eich bod chi wedi mynd yn styc eto,' meddai Carys gan gymryd sip o Prosecco. Roedd gan Thelma'r ddawn anhygoel i lwyddo i gloi ei hun mewn toiledau dieithr. Dair gwaith roedd hyn wedi digwydd yn ddiweddar a Carys wedi gorfod mynd i'w hachub.

'O, es i am dro bach o gwmpas y lle 'ma.'

'Busnesu dach chi'n feddwl, ia?'

'Galwa di fo be lici di,' snwffiodd Thelma. 'Ti'n gwbod faint ma hi'n gostio'r noson i aros yma? Y noson, cofia.'

'Nacdw i, faint?'

Plygodd Thelma ymlaen fel petai ar fin datgelu rhyw gyfrinach fawr. 'Tri chant pedwar deg o bunnoedd y noson, a ma hynny dim ond efo fiw o'r ardd,' sibrydodd yn uchel. 'Os wyt ti isio fiw o'r môr ma hynny'n costio dros bum can punt i ti. Y noson, sdi,' pwysleisiodd eto. 'Meddylia!'

'Sut dach chi'n gwbod hyn?' gofynnodd Carys. Doedd Miss Marple ddim ynddi o gymharu â dawn ei mam i ffeindio pethau allan.

'Holi'r hogan fach glên 'na ar risepsion 'nes i, 'de. Ma 'na frecwast yn y pris, dwi'm yn deud. Es i fyny wedyn i gael sbec ar y teras o'dd y Meira 'na'n sôn amdano. Es i yn y lifft efo'r cwpwl 'ma, duwcs pethau clên, o Norwich, cofia. Wanwl dad! Does dim rhyfedd ei bod hi'n costio cannoedd i aros yma.

Ddim efo'r fiw yna. Ti'n gallu gweld ynys Capri a Sorrento i gyd o'na. Yn Capri o'dd Gracie Fields yn byw, sdi.'

'Pwy o'dd honno, Nain?' gofynnodd Siôn a oedd wedi clywed cynffon y sgwrs. 'Yn 'rysgol efo chi oedd hi, ia?' Rhoddodd winc slei ar ei fam.

'Cantores ac actores o Rochdale oedd hi ond symudodd hi i fyw i ynys Capri,' esboniodd Thelma. 'O'dd fy nhad yn meddwl y byd ohoni hi ac mi o'dd Mam wastad yn canu 'Sally' rownd y tŷ. O'dd pobol yn arfer deud wrthi ei bod hi'r un sbit â Gracie Fields. Bron iawn i mi gael fy enwi'n Grace ar ôl Gracie Fields. Ond dyma'n nhw'n newid eu meddylia munud ddiwetha a 'ngalw i'n Thelma ar ôl fy nain. Niwmonia laddodd hi'n diwedd, graduras.'

'Pwy, eich nain, 'ta Gracie Fields?' holodd Siôn.

'Gracie Fields, 'ogyn.'

Dechreuodd Thelma ganu mewn llais tremolo mawr:

'Twas on the Isle of Capri that he found her
Beneath the shade of an old walnut tree
Oh, I can still see the flowers blooming 'round her
Where they met on the Isle of Capri.'

Roedd y ddau wydr o Prosecco, heb sôn am y 'Coke' roedd hi wedi'i gael gan Siôn yn gynharach, wedi llacio staes yr hen Thelma yn o arw.

'Llais da gyda chi, Thelma,' canmolodd Meira o ben arall y bwrdd. 'Trueni'ch bo chi ddim yn byw'n nes. Fyddech chi'n gaffaeliad mowr i'n parti merched ni. Falle y cawn ni'n dwy ganu deuawd fach noson y briodas, beth chi'n weud?'

'Ew, wn i ddim wir,' giglodd Thelma'n gysetlyd i gyd a rhyw

swildod mawr wedi dod trosti fwyaf sydyn, ond wrth ei bodd yn dawel bach.

'Ydan ni mynd rŵan?' meddai rhyw lais bach cwynfanllyd oedd wedi nythu yng nghôl ei mam.

Roedd hi bellach yn tynnu am naw a Sisial fach wedi hen alaru eistedd wrth y bwrdd ac yn barod am ei gwely. Roedd diwrnod o chwarae ym mhwll y gwesty yn y gwres wedi blino'r fechan yn lân.

'Fyddwn ni ddim yn hir eto, cariad bach,' meddai Greta gan roi cusan ar y corun aur modrwyog.

'Ma Nain Llan yn canu'n wirion,' datganodd y fechan wedyn gan sugno ei bawd. Anwybyddodd pawb y sylw er eu bod yn cytuno'n dawel â'r farn.

'O enau plant bychain,' meddai Carys o dan ei gwynt gan gymryd sip arall o Prosecco. Methai â chael beth ddadlennodd Siôn wrthi am Gethin allan o'i meddwl. Doedd yr hogyn erioed yn cael traed oer ynglŷn â phriodi Rebeca, oedd o? Wrth gwrs doedd o ddim, cysurodd ei hun wedyn. Siôn oedd yn dychmygu'r peth. Jyst am ei fod *o* yn gyndyn o gael ei rwymo mewn glân briodas, doedd hynny ddim i ddweud bod ei frawd yr un peth. Roedd Gethin yn caru Rebeca, roedd o'n addoli'r ferch. Nerfus oedd yr hogyn, dim byd mwy. Ond eto...

Tarfwyd ar ei meddyliau gan sŵn gwydr yn cael ei daro'n ysgafn â chyllell, yna sŵn rhywun yn clirio ei wddf yn nerfus.

'Ym... y... ga'i sylw pawb am funed, os gwelwch chi'n dda,' mwmiodd Iestyn Lloyd Jenkins a oedd wedi codi ar ei draed. Roedd gofyn iddo wneud hynny, neu fel arall, fyddai neb wedi medru ei weld.

Rhoddodd Meira Lloyd Jenkins bwn hegar iddo a dweud

o dan ei llais, 'Coda dy lais, Iestyn, sdim neb yn gallu clywed ti.'

Crafodd Iestyn ei wddf unwaith yn rhagor gan droi y foliwm i fyny fymryn yn uwch. Triodd eto. 'Ym... y... ga'i sylw pawb am funed, os gwelwch chi'n dda.'

Trodd pawb i wynebu'r gŵr. Cochodd at ei glustiau pan welodd fod pob pâr o lygaid o amgylch y bwrdd wedi hoelio eu sylw arno.

'Ma... Mae Meira, fan hyn... Ym... Wel...Ym... Wel, ma hi wedi gofyn i fi, ym...'

Roedd Carys yn gallu teimlo Meira'n gwingo ar ei ran. Gallai ddweud o'i hosgo a'i hwyneb ei bod yn difaru ei henaid wrjo yr hen Iestyn i sefyll ar ei draed i ddiolch i bawb am eu cwmni'r noson honno. Yn wahanol i Meira, oedd yn gadeirydd ac yn llywydd myrdd o gymdeithasau ac amryw bwyllgorau ac wedi hen arfer annerch unrhyw fath o gynulleidfa, roedd yn well gan Iestyn eistedd yn dawel yn y cysgodion. Fel cyfrifydd roedd yn ddeg gwaith gwell ganddo fo ddelio efo ffigyrau na phobol. Dylai hi fod wedi diolch i bawb ei hun. Ond nid dyna'r *etiquette* cywir. Ac roedd *etiquette* yn hollbwysig i Meira Lloyd Jenkins. Doedd hi ddim yn poeni cymaint am araith Iestyn yn y briodas ei hun, gan mai hi ysgrifennodd honno. Roedd y ddau wedi bod yn ei hymarfer hi ers wythnosau lawer yn union fel tasa fo'n ymarfer ar gyfer cystadleuaeth Gwobr Goffa Llwyd o'r Bryn.

'Ni i gyd yn edrych mlân yn fawr i ddydd Gwener. Gaf i, ar ran Meira a finne, ddiolch i chi am ymuno 'da ni 'ma heno. Gawn ni godi'n gwydre i Rebeca a Gethin.'

Cododd y parti bach ar eu traed fel un.

'I Rebeca a Gethin. Gan obeithio'n wir y bydd haul ar y

fodrwy dydd Gwener,' meddai Meira, yn methu ag atal ei hun rhag ychwanegu ei phwt.

'Ia wir. Pob bendith i'r ddau!' porthodd Medwyn, hwnnw wedyn yn mynnu rhoi ei big i mewn.

'I Rebeca a Gethin,' meddai pawb gan godi eu gwydrau'n llawen. Edrychodd Carys i gyfeiriad Gethin. Gwenodd iddi hi ei hun a rhoddodd ochenaid fawr o ryddhad. Roedd gwên fawr ar ei wyneb, ac roedd ar fin cusanu ei ddyweddi. Roedd Siôn yn amlwg wedi camddeall yr arwyddion. Nerfus oedd yr hogyn siŵr iawn.

'Wsti be?' meddai Thelma gan droi at Carys â rhyw sioncrwydd anarferol yn ei llais. 'Dwi'n edrych ymlaen i'r briodas rŵan. Ma'n mynd i fod yn ddiwrnod gwerth chweil, dwi'n deud wrthat ti, fedra'i deimlo fo yn fy nŵr.'

'Finnau hefyd, Mam, finnau hefyd.' Gwenodd y ddwy'n gynnes ar ei gilydd a chodi eu gwydrau unwaith eto. 'I'r briodas!' datganodd Carys gan daro ei gwydr yn ysgafn yn erbyn gwydr ei mam.

'O's lle i un bach arall?'

Trodd pawb eu gorwelion i gyfeiriad y llais dieithr.

'Dadi!' ebychodd Rebeca gan godi o'i sedd yn wyllt a rhedeg i fyny'r grisiau i freichiau'r gŵr a ddaliai i sefyll ar y teras.

'Gareth,' meddai Meira drwy'i dannedd ar ei chyn-ŵr. Y gwynt yn amlwg wedi'i dynnu o'i hwyliau. Petai Donald Trump, neb llai, wedi eu hanrhydeddu nhw efo'i bresenoldeb fyddai'r ymateb ddim wedi bod yn fwy llugoer.

'O'n i'n meddwl bod ti'n gweud dy fod ti ffaelu dod i'r briodas. 'Ma beth yw syrpréis… hyfryd.' Roedd y wên ffals yn dweud stori arall.

'Planiau 'di newid,' meddai Gareth gan roi cwtsh annwyl

i'w ferch. 'Ac allen ni fyth methu priodas fy unig ferch nawr allen i?'

Roedd hi'n amlwg fod Meira wedi mynd am fodel hollol wahanol yr ail dro yn ei dewis o ŵr. Os oedd Iestyn yn bwtyn coesfyr moel, Gareth oedd yr antithesis llwyr. Roedd gan hwn lond pen o wallt brith ar ei ben, edrychai ei ffrâm chwe throedfedd hyd yn oed yn dalach wrth ochr ei ferch eiddil fer. Gwisgai bâr o *chinos* golau a chrys polo nefi ac fel roedd o'n cerdded tuag atynt syllodd Carys arno'n gegagored.

Craffodd arno ddwywaith, yna deirgwaith. Rhoddodd ei bol dro a dechreuodd ei chalon garlamu. Allai hi ddim credu'r peth. Ella fod y gwallt wedi britho, ella ei fod wedi magu mymryn o bwysau ond doedd y wên a'r twincl yn ei lygaid lliw saffir wedi newid dim. Y fo oedd o. John. Gollyngodd ei gwydr Prosecco mewn sioc.

'Ffycin 'el!' ebychodd Sisial pump a hanner oed.

JOHN NEU GARETH?

CHYSGODD CARYS YR un winc y noson honno. Bu'n troi a throsi drwy'r nos tan iddi wawrio. Penderfynodd godi o'i gwely bryd hynny. Bu'n eistedd ar y balconi am sbel yn edrych dros y dref a mynydd Vesuvius y tu hwnt, yn ail-fyw'r noson cynt. Teg oedd dweud bod mwy o dân a berw ym mol Carys y funud honno nag oedd yng nghrombil y llosgfynydd. Roedd ei mam yn dal i rochian cysgu'n braf. Gwyn ei byd, meddyliodd.

Penderfynodd wisgo amdani a mynd am dro i drio clirio ei phen. Neu i gael John, neu Gareth yn hytrach, erbyn deall, allan o'i phen. Roedd y cyd-ddigwyddiad yn chwerthinllyd o wirion! Roedd yr holl beth fel rhywbeth allan o ryw opera sebon sâl. Allai hi ddim credu'r peth. Allai hi ddim! John oedd Tad Rebeca, neu'n hytrach Gareth. Gareth oedd ei enw fo. Nid John. Ar ben popeth arall roedd y ci drain wedi dweud celwydd wrthi ynglŷn â'i enw! Doedd dim rhyfedd ei bod hi'n methu cael hyd iddo fo ar Ffesbwc! Y bastyn!

A diolch i geg fawr ei mam roedd heddiw'n mynd i fod yn artaith pur. Doedd hi wirioneddol ddim yn gwybod sut roedd hi'n mynd i ymdopi. Roedd hi'n sâl wrth feddwl am y peth. Roedd neithiwr wedi bod yn ddigon drwg.

Roedd hi wedi synnu ei hun wrth lwyddo i fod mor hunanfeddiannol a heb ddangos yn allanol ei bod wedi'i chyffroi drwyddi pan welodd hi o. Roedd Meira ar y llaw arall fel llyfr agored, yn amlwg mewn sioc bod ei chyn-ŵr wedi'u hanrhydeddu nhw â'i bresenoldeb. Am newid, roedd honno'n fud ac wedi'i rhewi i'w sedd. Cymerodd Rebeca arni hi ei hun felly i gyflwyno ei thad i bawb.

Fel yr âi Rebeca a fo o gwmpas y bwrdd, ac fel yr oedden nhw'n agosáu tuag ati, teimlai Carys yn gorfforol sâl.

'Dyma Thelma, mam-gu Gethin, Greta, partner Siôn a Sisial fach eu merch. Dyma Siôn...'

Roedd gweld Siôn yn ysgwyd llaw â'i dad bron yn ormod i Carys.

'Siôn, dyma Dadi. Dadi, dyma Siôn, brawd mawr Gethin,' cyflwynodd Rebeca y ddau i'w gilydd. Roedden nhw'n rhyfeddol o debyg. Ai dim ond y hi oedd yn gweld y tebygrwydd tybed? Roedd ganddyn nhw'r un corff, yr un siâp wyneb, yr un geg, yr un lliw llygaid.

Beth oedd hi'n mynd i'w wneud? Beth oedd hi'n mynd i ddweud wrtho fo? Oedd o'n mynd i'w hadnabod hi? Llyncodd ei phoer. Ei thro hi oedd nesaf. Diolch byth ei bod hi'n eistedd yr ochr bellaf i'r bwrdd ac felly, diolch i'r drefn, yn rhy bell i ysgwyd llaw efo fo. Roedd ei choesau'n wan, meddyliai'n siŵr ei bod ar fin pasio allan. Byddai hynny yn embaras llwyr.

'A dyma Carys, mam Gethin. Carys dyma Dadi, Gareth.'

Edrychodd arni ddwywaith a lledodd gwên fawr lydan ar ei wyneb. 'Wy'n credu'n bod ni wedi cyfarfod o'r blân, yn dofe?' meddai gan wenu arni a syllu i fyw ei llygaid. Yr un wên a'i swynodd hi bron i ddeugain mlynedd yn ôl.

'Mae'n ddrwg gen i ond dwi ddim yn meddwl, *Gareth,*' meddai'n bendant gan roi'r pwyslais lleiaf ar ei enw. Ond eto'n hynod o boléit. Roedd hi'n ymwybodol iawn bod pawb yn syllu ar y ddau.

'Ond dwi'n siŵr i ni gwrdd yn–'

'Mae'n rhaid eich bod chi wedi fy nghamgymryd i am

rywun arall,' torrodd ar ei draws gan chwerthin yn nerfus. Yna trodd i ffwrdd oddi wrtho'n frysiog. 'Mae'n rhaid i chi fy esgusodi i ma arna i ofn. Dwi ddim yn teimlo'n rhy ecstra. Os dach chi ddim yn meindio dwi am fynd yn ôl i'r gwesty.'

'Ti ddim yn mynd rŵan?' gofynnodd Gethin a siom yn amlwg ar ei wyneb.

'Dwi ddim yn teimlo'n dda o gwbl, sori. Arhoswch chi'ch dau i fwynhau eich hunain,' meddai wrth Siôn a Greta gan estyn am ei bag. 'Awn ni â Sisial yn ôl efo ni. Gawn ni dacsi. Mae'r graduras bach wedi ymlâdd ac yn barod am ei gwely ers meitin. Mi wnawn ni warchod tan y dewch chi yn eich holau.'

'Dach chi'n siŵr?' meddai ei mab hynaf yn falch o'r cynnig.

'Yndw tad, dydach chi ddim yn cael neit owt efo'ch gilydd yn aml.' Cychwynnodd Carys o'i sedd ar frys. 'Tyrd, siwgr candi mêl Nain.' Estynnodd ei breichiau am y fechan. Aeth Sisial o freichiau ei mam i freichiau ei nain yn llawen. 'Mi wna'i ordo tacsi i ni o'r dderbynfa. Dach chi'n dŵad, Mam?'

'Mm? Dŵad i le, dŵa?' gofynnodd honno yn dal i syllu ar y gŵr dieithr.

'Wel, yn ôl i'r gwesty, 'te.'

'Ti ddim yn mynd yn dy ôl rŵan? Dim ond cynnar ydi hi. Cymera ddwy Rennie a fyddi di ddim yr un un. Gwynt sgin ti. Wedi storgatsio'r holl fwyd *rich* 'na w't ti. '

'Dwi'n mynd yn ôl i'r gwesty. Dach chi'n dŵad, 'ta be? Ma gin i feigren yn dechrau hefyd,' meddai wedyn gan ychwanegu anhwylder dychmygol arall.

'Dos di os lici di, mi arhosa i efo Siôn a Greta, yli.'

Gyda dyfodiad ei chyn-ŵr, roedd yr hen Thelma wedi synhwyro bod y gwynt wedi'i dynnu o hwyliau Meira Lloyd Jenkins. Doedd hi ddim yn bwriadu gadael a'r ddrama ond megis cychwyn. Roedd fel tasa Thomas Markle ei hun wedi landio (er nad oedd tad Rebeca ddim byd tebyg i hwnnw chwaith o ran pryd a gwedd) ond fe allai hi fod yn noson ddifyr iawn.

'Ma siŵr y bydd y ddau'n hwyr iawn yn dod yn eu holau. Ella y bysa'n well i chi ddŵad efo fi a Sisial rŵan 'chi.'

Lleia'n byd o gyswllt oedd rhwng ei theulu a thad Rebeca'r gorau. Yn enwedig hefo'i mam. O wybod hoffter honno o dwrio ym mag carped pawb.

'Duwcs, dwi'n siŵr ga'i gwmpeini Medwyn a Llinos yn ôl i'r gwesty, 'ta. Paid â phoeni amdana i. Dwi'n siŵr o ffeindio'n ffordd yn ôl. Dos di â Sisial 'li. Dwi'n tsiampion yn fyma.'

Felly gadawodd Carys a Sisial fach i synau cydymdeimladol Meira Lloyd Jenkins, oedd wedi dod ati hi ei hun rywfaint erbyn hyn, yn gobeithio'n fawr y byddai hi wedi gwella erbyn y briodas. Gwyddai Carys nad oedd gobaith o hynny hefo John, neu Gareth yn hytrach, o gwmpas. Wrth iddi gerdded o'r ardd i fyny'r grisiau yn ôl i mewn i'r gwesty, roedd hi'n ymwybodol iawn fod yna bâr o lygaid saffir yn syllu arni'n ddwys.

Dyma beth oedd llanast. Roedd pob mathau o deimladau'n corddi tu mewn iddi. Ond y prif un oedd teimlo'n flin. Blin efo fo am ei thwyllo hi fel'na. Pam ei fod o wedi dweud wrthi mai John oedd ei enw? Roedd o wedi sefyll o'i blaen hi neithiwr heb owns o gywilydd nac euogrwydd yn perthyn iddo. Doedd y sinach ddim wedi cysylltu efo hi fel yr oedd o wedi addo ei wneud yr holl flynyddoedd yna'n ôl. Roedd hi wedi hen dderbyn bellach mai dim ond ei hiwsio hi roedd o wedi'i wneud ac nad oedd ganddo unrhyw fwriad yn y byd o gadw mewn cysylltiad wedyn. Ffwc a ffling, dyna i gyd. Ond roedd ei weld o eto wedi ail gorddi'r gybolfa gref honno a deimlodd ar y pryd. Y siom, y tristwch, y dicter a'r tor calon.

Beth oedd hi'n mynd i'w wneud? Oedd hi'n mynd i ddatgelu wrtho mai canlyniad eu ffling yn Faliraki oedd brawd ei ddarpar fab yng nghyfraith? Oedd hi'n mynd i ddweud wrth Siôn? Oedd hi'n mynd i ddweud wrtho fo bod ei ddarpar chwaer yng nghyfraith yn hanner chwaer iddo? Cachu rwtsh.

Ar un llaw roedd gan yr hogyn berffaith hawl i gael gwybod pwy oedd ei dad. Ond ar y llaw arall ai calla' dawo oedd orau? I beth yr âi hi i gyfarfod trwbwl?

Pan ddaeth Siôn ddigon hen i holi pam nad oedd ganddo fo dad fel pawb arall yn ei ddosbarth, esboniodd Carys wrtho yn bwyllog bod ganddo yntau dad fel pawb arall. Yn anffodus, doedd hi ddim yn gwybod lle roedd o. Roedd hi wedi cyfarfod hogyn ar ei gwyliau yng Ngroeg pan oedd hi'n ferch ifanc a hwnnw oedd ei dad. Cofiai Carys yn dda fod Siôn ar dân yr haf hwnnw i'r ddau fynd ar eu gwyliau i Roeg er mwyn iddo gael cyfarfod hwnnw. Esboniodd Carys iddo wedyn nad Groegwr oedd ei dad ond Cymro. Roedd wedi addo ei ffonio hi ar ôl dod adref ond wnaeth o ddim a doedd ganddi hithau ddim modd o gwbl o gysylltu efo fo. A bellach doedd ganddi ddim awydd o gwbl chwaith os mai un fel'na oedd o.

'Gwael, 'de, Mam. Ti well hebddo fo, sdi. Dan ni'n iawn fel ydan ni, tydan ni?' roedd o wedi'i ddweud wrthi ac yntau ond yn gatyn bach. A beth bynnag, yn fuan iawn wedyn daeth Medwyn i lenwi'r bwlch tadol ym mywyd y bychan.

Wrth warchod Sisial fach neithiwr, a oedd wedi syrthio i gysgu'r eiliad y cyffyrddodd ei phen y gobennydd, roedd Carys wedi penderfynu mai'r peth doethaf i wneud oedd osgoi'r dyn hynny fedrai hi. Doedd hynny ddim yn rhy anodd, meddyliodd. Gallai smalio ei bod hi dal ddim yn teimlo'n dda a gwardio yn ei stafell tan y briodas. Ac yn y fan honno, wel, siawns y gallai lwyddo i ddianc rhagddo.

O'r nefoedd, rhoddodd ei bol dro sydyn. Beth petai Meira'n gosod John... Gareth (roedd hi'n dal i gael trafferth ei alw wrth ei enw iawn) drws nesaf iddi hi? Fyddai hynny jyst y peth y byddai Meira yn ei wneud a honno'n sticlar am *etiquette*. Ddim dyna oedd y drefn arferol? Bod y fam a'r tad yng nghyfraith yn eistedd drws nesaf i'w gilydd? Ddim ar boen ei bywyd y byddai Meira'n rhoi John / Gareth i eistedd drws nesaf iddi hi ei hun.

Teimlai'n sâl yn llythrennol.

I droi'r dŵr yn futrach pan ddaeth ei mam yn ei hôl (wedi cael noson dda iawn gyda llaw) gollyngodd honno grenêd arall.

'Ers pryd wyt ti'n diodda o meigrens?' gofynnodd i Carys wrth dynnu amdani a newid i'w choban. 'Dwi ddim wedi dy glywed di'n cwyno efo nhw o'r blaen.'

'Newydd ddechrau ca'l nhw ydw i,' rhaffodd Carys gelwyddau.

'Dy oed di ma siŵr. Hormons.'

'Well i mi restio fory dwi'n meddwl, i mi fod yn berffaith iawn ar gyfer y briodas dydd Gwener.'

'Duwcs, fyddi di ddim yr un un ar ôl noson dda o gwsg. Wyt ti wedi cymryd parasetamol neu rwbath ato fo?'

'Do, gynna.'

'Dyna chdi, 'ta, ac mi neith awel y môr fory les mawr i ti,' datganodd Thelma wedyn cyn diflannu am y bathrwm.

'Awel y môr? Be dach chi'n feddwl y gneith awel y môr les mawr?' gwaeddodd ar ôl ei mam.

Bu'n rhaid iddi ddisgwyl sawl munud i gael ateb tra bu Thelma'n brysur efo'i hablwsions.

'Mi ydan ni'n mynd fory, 'de, yn mynd am drip i Capri,' datganodd Thelma gyda gwên a neidio i'r bync.

Cododd Carys ar ei heistedd yn wyllt. 'Capri? Be dach chi'n feddwl, mi ydan ni'n "mynd am drip i Capri" fory?'

'Fi ddigwyddodd sôn wrth tad Rebeca, Gareth – ew, dyn neis ydi o. A clên. O Cei Newydd ffordd 'na mae o'n dŵad yn wreiddiol. Lle ma fan'o, dŵa?'

'Dim syniad, Mam.'

Fel roedd hi wedi amau y bysa hi, roedd ei mam wedi bod yn tyrchu yn o arw ym mag carped Gareth yn barod.

'Ma o wedi gadael fanno ers blynyddoedd. Trenio fel twrna nath o ond o'dd y gyfraith ddim iddo fo. O'dd o isio gneud rwbath mwy diddorol, medda fo, ac felly mi fuodd o'n prynu tai, yn eu hailwneud nhw a'u gwerthu nhw. Fuodd o'n bildio a gwerthu filas dramor am flynyddoedd. Yn Sbaen a'r Canaries, medda fo. Ma siŵr fod hynny wedi rhoi straen ar y briodas, doedd? Y fo i ffwrdd lot, 'lly. Ma'r Meira 'na i weld y teip sydd isio lot o dendans, tydi. Ma o'n meddwl riteirio mewn ryw flwyddyn neu ddwy, medda fo. Wedi gneud ei ffortiwn fyswn i'n deud. Beth bynnag i chdi, ma o wedi cynnig mynd â ni i Capri fory.'

'Be?' Bu bron iawn i Carys ddisgyn allan o'i gwely.

'Ar ôl i ti adael ddoth o draw i ista yn dy sedd wag di ac mi fues i'n sgwrsio efo fo am yn hir iawn, a Siôn a Greta hefyd. Wel, doedd gan Meira a Iestyn fawr o ddim byd i ddeud wrth y cradur, nag oedd.'

Roedd y cyfog wedi cyrraedd gwddf Carys erbyn hyn.

'Beth bynnag, wnes i ddigwydd sôn wrtho am Gracie Fields, a'i bod hi'n byw yn Capri a dyma fo'n cynnig mynd â ni, yn ei gwch.'

'Cwch? Ma ganddo fo gwch?' gofynnodd Carys yn syn.

'Oes. Neu *yacht* ti'n deud, ia? Ma siŵr fod gin y cradur bach fawr o ddim byd i neud fory. Dyna pam mae o wedi cynnig mynd â ni i gyd. Ond tydi Siôn a Greta ddim am ddod. Dwi ddim yn meddwl bod Greta'n cîn. Beth bynnag, mae o'n cyfarfod ni yn y marina bore fory am un ar ddeg.'

'Be haru chi, dwch?' trodd ar ei mam yn wyllt. 'Fedrwn ni ddim mynd.'

'Pam ddim? Twt, fyddi di'n tsiampion fory siŵr.'

'Ond dan ni ddim yn nabod y dyn!'

'Mi ydan ni'n nabod digon arno fo. Ma o'n dad i Rebeca ac yn ddarpar dad yng nghyfraith i Gethin. Ma o'n glên iawn. *Gentleman* o ddyn. Taset tithau wedi aros neithiwr yn lle codi a mynd fel gwnest di mi fysa tithau wedi gweld hynny hefyd.'

'Fedra i ddim mynd.'

'Pam ddim?'

'Mynd mewn rhyw hen gwch ydi'r peth diwetha dwi isio a finnau efo meigren. Llonydd a chysgu dwi ei angen fory.'

'Ond fedri di ddim gadael i mi fynd fy hun efo fo. Dwi prin yn nabod y dyn!'

'Ddeudoch chi gynna bod chi'n nabod digon arno fo.'

'Ond ddim i fynd efo fo fy hun!' protestiodd ei mam.

'Rhaid i chi ganslo felly, bydd.'

'Ond sgin i ddim modd o gysylltu efo fo.'

'Siawns bod gan Rebeca rif iddo. Ffoniwch hi ben bora fory i gael ei rif o. Deudwch fy mod i dal efo meigren.'

'O, a finnau wedi edrych ymlaen cymaint i gael mynd i Capri. Dwi wedi clywed cymaint am yr ynys. A dyma fi rŵan o fewn tafliad carreg i'r lle. Dwi ddim ffansi gorweddian wrth yr hen bwll 'na drwy'r dydd eto. Ma o'n fy ngneud i'n hollol swrth. Ac mae gin i liw digon di-fai ar y coesau 'ma bellach i ga'l get-awê efo peidio â gwisgo teits. Ma siŵr y bysa hi'n iawn i mi fynd efo fo ei hun,' meddai ei mam wedyn ar ôl saib. Roedd hi'n amlwg bod yr hen

Thelma bron â thorri silff ei thin i gael hwylio mewn *yacht* i Capri.

Ond o adnabod ei mam, gwyddai Carys na allai adael iddi dreulio diwrnod cyfan ym mhresenoldeb Gareth. Byddai Miss Marple wedi'i holi fo'n dwll a byddai ei hen geg lac hithau siŵr o fod wedi dweud rhywbeth. Aeth ei dychymyg yn drên wrth iddi greu'r sgwrs a allai ddigwydd rhwng ei mam a John. Ei mam yn ei holi pam nad oedd o wedi ailbriodi ar ôl Meira. Ei mam wedyn yn mynd ymlaen i ddweud nad ydi Carys wedi ailbriodi chwaith ar ôl ei hysgariad â Medwyn. Tad Gethin wrth gwrs. Ond nid y fo ydi tad Siôn chwaith gan mai hanner brodyr ydi Gethin a Siôn. Cenhedlwyd Siôn tra roedd Carys ar wyliau yn Faliraki. Gallai hyd yn oed glywed ei mam yn datgan yn chwerw na chlywodd ei merch ddim siw na miw oddi wrth y sglyfaeth byth wedyn. Ei gadael hi yn *high and dry*.

Na, byth bythoedd allai hi adael ei mam ar ei phen ei hun yng nghwmni John. Neu Gareth yn hytrach. Allai hi ddim ei risgio fo. Cyn sicred â bod nos yn troi'n ddydd byddai'r gath yn siŵr o ffindio'i ffordd allan o'r cwd.

Doedd dim ond un peth amdani felly ac roedd Carys yn sâl o feddwl beth oedd o'i blaen hi'r diwrnod hwnnw. Ymlwybrodd yn ôl i'r gwesty yn benisel a'i chalon yn drom. Byddai ei mam wedi deffro erbyn hyn ac yn methu deall lle roedd hi.

CWCH A CAPRI

'LLE MAE O dŵa? Weli di fo?' Cododd Thelma ei sbectol haul oddi ar ei thrwyn ac ar ei thalcen fel petai hynny'n mynd i'w helpu hi i weld yn well.

Cerddodd y ddwy ar hyd y Marina Piccola lle roedd myrdd o gychod o bob lliw a llun wedi'u hangori, yn chwilio'n daer am Gareth a'i *yacht*. Byddai Carys wedi rhoi'r ddaear i beidio â bod yno. Byddai wedi gwneud unrhyw beth i gael bod yn unrhyw le arall yn hytrach na gorfod hwylio mewn cwch yng nghwmni ei mam a thad ei chyntaf-anedig.

'Ma hyn fel chwilio am nodwydd mewn tas wair,' ochneidiodd Carys ar ôl chwarter awr a mwy o chwilio'n ofer. Ma 'na gannoedd o gychod yma. Nath o ddim rhoi ei rif ffôn i chi? Fysan ni wedyn yn medru ei ffonio fo i ofyn lle'n union mae o, neu ofyn iddo fo ddod i'n cwfwr ni.'

'Naddo a wnes inna ddim meddwl gofyn.'

Naddo mwn, meddyliodd Carys. Ac wrth gwrs wnaeth Gareth ddim meddwl rhoi ei rif ffôn i'w mam. Fyddai gwneud peth felly'n groes i'w natur o.

'Duwcs, ma o yma yn rhwla, sdi,' meddai Mam yn galonnog.

'Yndi, Mam, ond yn lle? Ac ella nad ydi o ddim yn cofio dim erbyn bora 'ma. Ylwch, be am i ni fynd rownd y dre yn lle gneud hyn? Oeddech chi'n sôn pnawn ddoe fasach chi ddim yn meindio trip ar y trên bach. Dwi'n siŵr y bysa fo'n hwyl.'

Ar eu ffordd i'r ymarfer priodas y prynhawn cynt roeddynt

wedi gweld y trên bach ar gyfer yr ymwelwyr oedd yn mynd o gwmpas y dref. Oedd Thelma'n swnio'n reit cîn i fynd am drip arno. Ond o ddethol rhwng trip ar drên bach neu drip ar gwch i ynys Capri, roedd y dewis yn un hawdd.

'Be haru ti, hogan? Fedrwn ni ddim peidio â throi fyny siŵr iawn. Rŵd ydi peth felly. Ma o'n disgwyl ni'n dwy.'

Fel o'n innau yn ei ddisgwyl yntau i gysylltu efo fi'r holl flynyddoedd yna'n ôl, meddyliodd Carys yn chwerw. Eitha gwaith â'r diawl tasan ni'n dwy ddim yn troi fyny ac yn ei adael o'n disgwyl amdanon ni ar ei blincin *yacht*.

'Ella fod rwbath wedi codi ac nad ydi o'n gallu dod. Fedrwn ni fynd ar y býs *hop on hop off* i gael golwg iawn ar y dre. Mi fysa'n biti garw dod yr holl ffordd yma heb gael golwg iawn ar Sorrento a'r ardal, bysa.' Triodd Carys eto i demtio Thelma efo atyniad arall.

''Ma fo! 'Ma fo yn fan'cw! Iw-hw!' gwaeddodd ei mam ar dop ei llais. Chwifiodd ei breichiau'n wyllt wedi cynhyrfu'n lân.

Suddodd calon Carys a llyncodd ei phoer. Rhyw ddau gan llath i ffwrdd safai gŵr tal, mewn siorts linen nefi a chrys glas golau, ar starn cwch yn codi'i law arnynt.

'Wanwl! Sbia cwch crand,' sibrydodd ei mam yn gegagored gan syllu ar y cwch hwylio gwyn wrth y pontŵn. Yli, ma 'na olwyn arni a pob dim.'

'Croeso, ledis,' meddai Gareth gan wenu'n groesawgar a chodi ei sbectol haul dywyll a'i gosod ar ei ben brith. 'Croeso i chi'ch dwy ar fwrdd y *Foxy Lady*.'

Cynigiodd ei law i Thelma i'w helpu i gamu ar y bwrdd. Derbyniodd hithau'n llawen. 'Diolch i chi, Gareth, meddai hi cyn ploncio ei phen ôl yn ddiseremoni ar un o'r meinciau hufen lledr yn y cocpit.

Yna estynnodd ei law i Carys hithau. Yn gyndyn gafaelodd ynddi. Roedd yna ormod o berygl iddi ddisgyn dros yr ochr fel arall.

'Galwch fi'n John os chi moyn,' meddai gan syllu i fyw llygaid Carys wrth ddweud. 'Ma lot yn galw fi'n John, yn enwedig ffrindie coleg. John Gareth fues i am flynydde. Roedd 'na ddou Gareth arall yn digwydd bod yn yr un flwyddyn â fi yn yr ysgol gynradd – Gareth Wyn, Gareth James a finne, John Gareth. Pan es i i'r coleg roedd fy ffrindie i gyd yn fy ngalw i wrth fy enw cynta. Wy'n ateb i unrhyw un o'r tri gweud y gwir – Gareth, John Gareth neu John.'

Daliai ei afael yn ei llaw o hyd. Daliai i edrych i fyw ei llygaid.

Edrychodd hithau i ffwrdd yn wyllt a gollwng ei law ar yr un pryd. Aeth i eistedd wrth ochr ei mam. Roedd o'n amlwg wedi deall ei dryswch ynglŷn â'i enw y noson cynt. Doedd o ddim wedi dweud celwydd wrthi felly.

'Reit, chi'n barod, ledis?' gofynnodd gan dorri ar draws ei meddyliau. Taniodd yr injan ac yna neidiodd oddi ar y cwch i'r pontŵn er mwyn gollwng y rhaffau. Llamodd fel ebol blwydd yn ôl i mewn. Yn araf ofalus symudodd y *Foxy Lady* yn ddeheuig allan o'r marina i'r môr mawr.

'Tydi o'n debyg i'r boi James Bond 'na. Daniel 'wbath?' mwmiodd ei mam yn edmygus yng nghlust Carys.

'Ar ddiwrnod gwael ella,' brathodd Carys yn ôl, ond ar ei gwaethaf roedd yn cytuno'n dawel bach. Roedd hi hefyd wedi methu peidio â sylwi ar ei goesau lliw haul cyhyrog. Gallai'n hawdd sefyll ysgwydd wrth ysgwydd ag Iolo Williams heb owns o gywilydd. Damia'r dyn, oedd rhaid iddo fod mor olygus o hyd? Fyddai'n haws ei gasáu o tasa fo wedi plaenu yn ei henaint. Ond os rhywbeth, fel gwin da wrth heneiddio, roedd o wedi gwella.

'Well i chi ddala'n dynn yn eich hetie, ledis,' cynghorodd y ddwy wrth iddo agor yr injan.

Mae'n dda ei fod o wedi'u rhybuddio nhw, gan i bwff mawr o wynt ddod o rywle. Chael a chael oedd hi na chwythwyd hetiau'r ddwy i'r dŵr dwfn.

'Gan fod gwynt ffein heddiw, wy am roi'r hwyliau lan er mwyn i ni ga'l mynd mewn steil,' medda fo ar ôl clirio'r harbwr.

Gofynnodd iddyn nhw symud ar draws am eiliad er mwyn iddo gael mynd at yr hwyliau. Mewn chwinciad roedd dwy hwyl wen yn cwhwfan yn y gwynt. Aeth yntau yn ôl tu ôl i'r olwyn a thynnu ar ambell i raff. Ymhen eiliad roedd y *Foxy Lady* yn ei hochri hi'n braf yn y gwynt, ei thrwyn yn bownsio i fyny ac i lawr ac ambell i sbrenc o ddŵr hallt yn tasgu ar wynebau Carys a Thelma.

'Pennau lawr nawr, ledis. A daliwch yn dynn. Wy angen tacio, sef troi trwyn y cwch i ni ga'l y gore o'r gwynt.'

Ymhen eiliad roedd y cwch yn troi a'i ongl wedi newid yn llwyr wrth i John Gareth dynnu ar y rhaffau yn ddeheuig a setlodd y cwch unwaith eto wrth iddo fownsio'n galed ar ewyn y don. Tasa Carys ddim yn gwybod yn well, fyddai'n amau ei fod yn dangos ei hun i'r ddwy.

'Well i chi symud i ishte i'r ochr arall wy'n meddwl,' awgrymodd wrth weld mwy nag ambell sbrenc yn tasgu drostynt. Felly cyn iddyn nhw gael trochfa go iawn straffagliodd y ddwy i'r ochr arall.

'Chi'n joio?' gofynnodd ymhen sbel.

Nodiodd Carys ei phen. Ar ei gwaethaf roedd rhaid iddi gyfaddef ei bod hi'n mwynhau.

'Chi'n joio, Thelma?' gofynnodd i'w mam oedd, yn groes i'r arfer, heb agor ei cheg ers gadael y lan.

'Yndw... Yndw, diolch,' atebodd yn wan, ar ôl sbel. Ond roedd ei gwedd yn adrodd stori arall.

'Dach chi'n iawn, Mam?' holodd Carys wedi sylwi ar ei lliw ac yn gwybod ond yn rhy dda pa mor anobeithiol roedd ei mam am deithio ar dir sych heb sôn am y môr mawr.

'O'n i ddim yn disgwyl iddi fod mor ryff. Tydi o ddim 'run fath â mynd ar y fferi i Dún Laoghaire, nachdi,' meddai hi wedyn. Llyncodd ei phoer a gafael yn dynn fel feis yn yr ochr wrth i'r cwch a'i stumog fynd i fyny ac yna i lawr efo'r don.

Gweddïai na fyddai'r daith lawer hirach ond roedd y tir yn dal i'w weld yn bell ar y gorwel. Caeodd ei llygaid yn dynn a cheisio canolbwyntio ar anadlu i mewn yn ddwfn drwy ei thrwyn ac allan wedyn yr un mor ddwfn drwy ei cheg, i geisio atal y beil oedd yn mynnu codi o'i stumog. Yn anffodus, ofer fu'r ymarferiad. Taflodd ei brecwast i gyd i fyny dros ochr y *Foxy Lady*.

Fuodd Thelma erioed mor falch o gyrraedd y lan. Roedd yr awr a hanner ddiwethaf wedi bod yn artaith pur. Fuodd y graduras erioed mor sâl. Teimlai'n ddigon gwael i farw.

Anelodd y tri am y caffi cyntaf welon nhw. Cafodd Gareth sylw'r weityr yn weddol sydyn ac ordrodd wydriad mawr o ddŵr i Thelma a phaned o goffi i Carys a fynta.

'Fyddwch chi'n teimlo'n well yn munud, chi,' meddai Carys yn trio'i gorau i gysuro ei mam.

'O,' griddfanodd honno wedyn, gan sychu ei cheg eto fyth hefo'i hances. 'Wn i ddim wir. Dwi'n teimlo'n sâl fel ci.'

Roedd ar flaen tafod Carys i ddweud wrthi mai arni hi ei hun oedd y bai. Hi oedd bron â thorri silff ei thin isio mynd i'r Isle of Capri. Ond o weld yr olwg legach ar Thelma penderfynodd mai doethach oedd dweud dim.

'Awn ni rownd yr ynys ar yr injan wy'n meddwl,' meddai Gareth gan sipian ei goffi du. 'Llai ryff fel 'nny.'

''Rhosa i yn fyma, thenciw mawr,' sibrydodd Thelma'n wan.

'So chi'n ffansïo trip rownd yr ynys, 'te?' gofynnodd Gareth yn siomedig.

'Bobol mawr, nac ydw! Fysa fo'n ddigon amdana i, Gareth bach. Ewch chi'ch dau ar bob cyfri. Ond dwi'n aros yn fyma.'

'Ond be am Gracie Fields?' gofynnodd Carys yn syn.

'Be amdani hi?' gofynnodd ei mam gan sipian ei dŵr a cheisio'n ofer cael y blas chwerw drwg o'i cheg.

'O'n i'n meddwl eich bod chi isio gweld ei thŷ hi?'

'Hy! Stwffia hi. Hi a'i thŷ.' Caeodd Thelma ei llygaid yn y gobaith y byddai hynny'n helpu rhywfaint i stopio ei stumog rhag corddi o hyd.

'Ond fedrwn ni ddim eich gadael chi ar eich pen eich hun yn fyma siŵr iawn,' meddai Carys wedyn. Yn gyntaf, doedd hi ddim yn meddwl ei fod o'n syniad da gadael gwraig yn ei saithdegau nad oedd yn teimlo hanner da ar ei phen ei hun ar ynys ddieithr. Yn ail, doedd hi chwaith ddim yn ffansïo treulio gweddill y trip ar ei phen ei hun efo Gareth. 'Arhoswn ni efo chi, a munud y byddwch chi'n teimlo'n well, awn ni'n ôl i Sorrento, 'te, John... Gareth.' Roedd hi'n mynd i gael trafferth ei alw'n Gareth ar ôl meddwl amdano fel John ar hyd y blynyddoedd

'Ie, os chi moyn. Er fydden ni'n dau ddim yn hir iawn whaith. Ma'n drueni dod yr holl ffordd i Capri heb hwylio rownd yr ynys i ga'l gweld y Blue Grotto enwog a chreigiau Faraglioni. Ond peidiwch becso.'

'Dos di dy hun,' awgrymodd Carys. 'Wnaiff Mam a fi ddisgwyl amdanat ti'n fyma, yn gwnawn, Mam? Fyddwn ni'n dwy yn berffaith iawn yn fyma.'

'Paid â bod yn wirion, Carys. Dos efo'r dyn. Mi fydda'i'n

tsiampion. A deud y gwir, 'swn i'n medru gneud efo mymryn
o lonydd am sbel.'

Tasa Carys ddim yn gwybod yn well byddai'n amau bod
ei mam wedi mynd yn sâl ar bwrpas er mwyn creu cyfle iddi
hi a John Gareth fod ar eu pennau'u hunain. Ond gwyddai
mai paranoia oedd peth felly. Ffeindiodd Carys ei hun felly'n
hwylio rownd un o ynysoedd mwyaf rhamantaidd môr y
canoldir yng nghwmni dyn nad oedd wedi'i weld ers bron i
ddeugain mlynedd.

CINIO A CHYFADDEFIAD

'GOBEITHIO BYDD DY fam yn olréit,' meddai John Gareth wrth i'r ddau adael y lan.

'Dwi'n siŵr y bydd hi. Un wael ydi hi am deithio p'run bynnag. Wn i ddim be ddaeth dros ei phen hi i gytuno i ddod, deud gwir.'

'Wel, wy'n falch,' gwenodd arni eto.

Oedd yn rhaid i'r crinc wenu a syllu arni bob dau funud?

'Wyt ti?'

'Fydden ni heb gael cyfle i fod 'da'n gilydd fel arall. A ma 'da ni lot fowr o waith dala lan,'

Sgin ti ddim syniad, meddyliodd Carys a churiad ei chalon wedi cyflymu mwyaf sydyn.

'Wy moyn gwbod dy hanes di i gyd,' meddai wedyn gan syllu arni'n annwyl.

Yn ffodus i Carys, ni fu'n rhaid iddi siarad rhyw lawer efo fo gan ei bod hi bron yn amhosib clywed y naill a'r llall oherwydd rhu yr injan a sŵn y môr.

Er waethaf y sefyllfa ryfedd, bisâr bron, yn hwylio rownd Capri efo'i hen fflam roedd yn rhaid iddi gyfaddef ei bod yn mwynhau'r daith. Roedd mynd ar yr injan, yn hytrach na hwylio, yn drip cymaint brafiach ac yn esmwythach (heb sôn am sychach). Rhyfeddai ar ffurfiannau creigiau'r arfordir a oedd yn anhygoel o uchel a serth. Estynnodd Carys ei ffôn a bu'n tynnu lluniau. Aethant heibio'r groto glas enwog, dim ond cychod rhwyfo bach oedd yn gallu mynd i mewn. Ddim bod hynny'n poeni Carys o gwbl gan nad oedd hi'n ffansi mynd i mewn i'r ogof gul isel. Roedd y fynedfa yn llawer iawn rhy glawstroffobig iddi. Ymlaen â'r ddau gan basio goleudy brics coch a gwyn, Punta Carena, ar y trwyn yn ne orllewin yr ynys. Goleudy oedd yn dal i weithio a gwarchod y cychod a'r llongau hyd heddiw.

'Co nhw!' meddai John Gareth gan bwyntio i'r pellter lle gallai Carys weld tair craig wen anferth yn sefyll ychydig o fetrau o'r arfordir. 'Creigiau Faraglioni, un o'r mannau mwyaf eiconig ar yr ynys.'

Fel yr oedden nhw'n symud yn nes at y creigiau gallai Carys ddeall hynny'n hawdd. Os oedd y tair craig yn anhygoel o bell, roeddynt hyd yn oed yn fwy trawiadol yn agos. Dim ond o fod reit yn eu hymyl roedd rhywun yn gallu dirnad eu maint. Roeddynt tua chan metr o uchder yn hawdd. Yn erbyn y creigiau golau roedd Carys yn grediniol fod y môr hyd yn oed yn lasach fyth. Roedd hi wedi'i mesmereiddio'n llwyr gan eu mawredd a'u godidowgrwydd.

'Ma'r cwch rhy fowr i fynd drwy'r bwa'n anffodus,' ymddiheurodd John Gareth. Cyfeirio oedd o at yr hollt yn y graig ganol, sef y Faraglione di Mezzo. Roedd cychod injan o faint llai na'r *Foxy Lady* yn gallu hwylio drwy'r bwa.

'Dim ots, siŵr. Ma jyst bod yma yn wych. Ma'n nhw'n amesing, does 'na ddim gair arall i'w disgrifio nhw. Amesing.'

Roedd Carys wedi rhyfeddu o weld y fath olygfa. Gwyddai am sawl rheswm na fyddai hi'n anghofio'r daith yma ar chwarae bach. Tynnodd luniau eto fyth efo'i ffôn.

'*Selfie*. Beth am dynnu *selfie* 'da'n gilydd?' awgrymodd John Gareth. Ymhen dim roedd wedi camu wrth ei hochr. Cododd ei ffôn i dynnu eu llun, closiodd hyd yn oed yn nes ati a rhoddodd ei fraich rownd ei hysgwydd. Teimlodd y pilipalas oedd eisoes yn dawnsio yn ei stumog ers iddi gamu ar y *Foxy Lady* y bore hwnnw yn diflannu ac yn eu lle daeth haid o eliffantod.

'Beth am i ni angori i ga'l tamed o ginio?' cynigiodd ar ôl iddynt basio'r creigiau. 'Mae'n weddol dawel a chysgodol fan hyn. Sai'n gwbod amdanat ti ond wy bron â starfo.'

'Fysa ddim yn well i ni fynd yn ôl? Mi fydd Mam yn disgwyl amdanon ni.'

Roedd Carys ar binnau. Roedd hi ar binnau i gael yn ôl at ei mam. Gobeithiai y byddai honno'n teimlo'n lot gwell bellach ac yn ddigon da i ymdopi â'r daith yn ôl i Sorrento. Ond roedd hi ar binnau hyd yn oed yn fwy fyth wrth fod yng nghwmni John Gareth. Roedd hi'n ymwybodol iawn o'r teimladau hynny oedd yn atgyfodi unwaith yn rhagor ar ôl yr holl flynyddoedd.

'Wy 'di dod â phicnic i ni. Dim byd ffansi, cofia. Dim ond ychydig o gawsiau, bara, pate, cigoedd oer. A so ni'n bell iawn o'r marina nawr ta beth. Fyddwn ni ddim yn hir.'

Roedd hi'n amlwg ei fod wedi mynd i drafferth i ddarparu tamaid o ginio i'r tri ohonyn nhw.

Cytunodd Carys yn gyndyn. Siawns y byddai ei mam yn iawn ar ei phen ei hun am ryw hanner awr fach arall.

Angorodd John Gareth y cwch ac aeth i'r gali gan ddod yn ei ôl yn cario bwrdd bach pren yn ei blyg. Ar ôl agor y bwrdd dychwelodd yn ei ôl i'r cocpit. Ymhen dwy funud roedd yn ôl yn cario *cool box*. Yn y bocs roedd torth ffres, dewis o gawsiau, pate a ffrwythau.

'O ie, ddes i â hon i ni hefyd,' meddai gan estyn potel o Prosecco a dau wydr. Agorodd y botel yn ddeheuig gan dywallt yr hylif pefriog i'r gwydrau.

'I hen ffrindie,' gwenodd gan godi ei wydr.

'Hei, llai o'r hen 'na plis,' gwenodd Carys yn ôl gan godi ei gwydr hithau.

Edrychodd ar yr olygfa o'i chwmpas. Wanwl, allai hi ddim credu ei bod yn yfed Prosecco ar *yacht* yn Capri o bob man.

Bwytaodd y ddau mewn tawelwch. Roedd y dorth ffres a chaws hufennog fel manna o'r nefoedd. Dim ond ar ôl iddi ddechrau bwyta y sylweddolodd Carys pa mor llwglyd oedd hi. Roedd awel y môr wedi agor ei stumog.

'Ches i fawr o frecwast,' ymddiheurodd gan dorri tafell fawr arall o fara iddi hi ei hun.

'Helpa dy hunan, ma digon yna.'

Tawelwch rhwng y ddau wedyn. Roedd cymaint ganddyn nhw i'w ddweud wrth ei gilydd ond y drwg oedd, lle i ddechrau?

'Alla'i ddim credu'r cyd-ddigwyddiad, ti'mod, dy fab di a fy merch i yn priodi. Pa mor anhygoel yw hynny?' meddai John Gareth ar ôl sbel.

'Ia, 'te,' gwenodd Carys yn wan gan gymryd llowc arall o'r Prosecco.

'Pam 'nest ti esgus bo ti ddim yn fy nabod i neithiwr?' Daeth y cwestiwn tuag ati fel bwled o nunlle.

'O'n i'n meddwl dy fod ti wedi deud clwydda wrtha i'r holl flynyddoedd yna'n ôl,' cyfaddefodd yn dawel.

'Beth ti'n feddwl? Gweud celwydd?'

'O'n i'n meddwl mai John oedd dy enw di a pan gyflwynodd Rebeca chdi fel Gareth, wel, o'n i'n meddwl dy fod ti wedi deud clwydda wrtha i.'

'Wnes i ame taw rhwbeth fel'na o'dd e,' gwenodd arni gan syllu i fyw ei llygaid.

Disgynnodd blanced o dawelwch chwithig dros y ddau eto. Yna crafodd John Gareth ei wddf yn nerfus.

'Wnes i erioed dy anghofio di, Carys. Yr holl flynydde 'na. Sai'n gallu credu bo ni wedi cwrdd 'to, ma'r peth yn anhygoel.'

''Nest di anghofio fy ffonio fi hefyd, do? Fel oeddat ti wedi gaddo neud.'

Roedd effaith y Prosecco wedi ei harfogi â'r hyder i anelu'r waywffon edliwgar tuag ato. Syllodd y ddau i fyw llygaid ei gilydd.

'Allen i ddim, ma'n flin 'da fi,' atebodd yn dawel.

Sylwodd Carys fod arlliw o gywilydd ar ei wep.

'Be ti'n feddwl "allet ti ddim"? Dim ond deialu'r rhif oedd isio i chdi.'

'Do'dd y rhif ddim 'da fi,' medda fo wedyn gan roi ei ben i lawr.

Edrychodd Carys arno mewn penbleth.

'Be 'nest ti? Ei golli fo?'

'Nage. Wel ie... Wel na, ddim mewn gwirionedd... 'Nes i ddim ei golli fe go wir...'

'Do, 'ta naddo? Wnest di golli'r rhif?' Roedd Carys yn dechrau colli amynedd braidd. Roedd yn gwestiwn digon hawdd.

'O'n i wedi ei gadw fe'n ddiogel ym mhoced fy jîns. Ar ôl i mi gyrraedd 'nôl gatre y peth cynta nath Mam o'dd neud y golch, y Persil Queen oedden ni'n arfer ei galw hi. O'dd hi'n dwli golchi dillad. Paid â gofyn pam. Pan welodd hi fy nghês i'n llawn dillad brwnt fe dwlodd hi'r blincin lot i'r peiriant golchi cyn i fi gael cyfle i fynd drwy'r pocedi na dim. O'dd hi wastad yn neud 'nny, byth yn gwagio na tsieco pocedi trowsyse. Fe gollodd Dad ddegau o bapurau pum punt a deg punt oherwydd bo Mam heb dsieco'r pocedi gynta, a Dad yn rhy ddiog i'w gwagio. Wy'n cofio hyd heddi gweld y jîns yn mynd rownd a rownd yn ffenest fach y peiriant golchi a disgwyl i'r blincin *cycle* ddod i ben er mwyn i fi ga'l tsieco'r pocedi. Wrth gwrs roedd y papur *chewing gum* yn un belen fach soeglyd, doedd dim sôn am unrhyw fath o sgrifen arno fe heb sôn am rif ffôn. Wnes i ddim siarad 'da Mam am bron i wythnos a hithe'n ffaelu deall pam o'n i mor grac gyda hi a hithau ond wedi golchi pâr o jîns.'

Heb y canlyniadau pellgyrhaeddol byddai Carys wedi chwerthin llond ei bol am y peth.

'Wy mor sori, Carys. Dries i bob ffordd i ga'l gafael arnat ti. Ond o'dd 'da fi ddim clem ble i ddechre whilo. O'n i'n gwbod bo ti'n dod o'r Gogs yn rhwle, rhyw Llan neu'i gilydd. Ond ti'n gwbod faint o lannau sydd yn y Gogs? Lot gormod, weda'i 'nny 'tho ti. O'n i'n gobeithio y bydden i'n bwrw miwn i ti yn y Steddfod. Fues i'n mynd 'na bob blwyddyn yn y gobeth y bydden i'n dy weld di.'

Hwn oedd ei chyfle hi i ddweud wrtho. Dweud wrtho tasa'r amgylchiadau wedi bod yn wahanol y bysa hi wedi bod yno yn mwynhau ei hun fel y rhan fwyaf o ffrindiau ei hoed hi. Ond roedd hi'n rhy brysur yn gweithio a magu ei fab o yr un pryd.

'O'n i ddim yn hogan Steddfod.'

'Ac yn lle dy gyfarfod di, fe 'nes i gwrdd â Meira, ondofe?' ochneidiodd a thynnu wyneb. 'A ma'r gweddill yn hanes fel ma'n nhw'n gweud. Hen hanes hefyd.'

'Well i ni fynd yn ôl. Neu bydd Mam yn dechrau meddwl bod 'na rwbath wedi digwydd i ni,' meddai Carys gan orffen y Prosecco. Roedd y sgwrs yn dechrau mynd i dir peryg iawn. Gwyddai y dylai ddweud wrtho am Siôn. Ond rhywsut dim mewn cwch bach yng nghanol y môr mawr oedd y lle.

Ymhen dim cyrhaeddodd y ddau yn eu holau yn y marina. Ar ôl clymu'r cwch yn ddiogel, anelon nhw i gyfeiriad y caffi lle y gadawyd Thelma yn gynharach. Ond doedd dim golwg o'i mam yn nunlle.

'Lle ma hi?' gofynnodd Carys gan edrych o'i chwmpas mewn panic llwyr.

'Falle'i bod hi wedi mynd i'r tŷ bach,' cynigiodd John Gareth.

O na, suddodd calon Carys. Gobeithio i'r nefoedd nad oedd hi wedi cloi ei hun yn un o'r toiledau. Ond byddai ei mam yn siŵr o fod wedi'i ffonio hi tasa hynny wedi digwydd. A doedd dim un neges decst na *missed call* ar ei ffôn.

Trodd at y weityr oedd yn clirio un o'r byrddau gerllaw. 'Excuse me. *Scusi.* Have you seen an elderly lady... short, grey hair, wearing white trousers, a white and navy top and a pink cardigan?' gofynnodd gan ddisgrifio dros dri chwarter y merched yn eu saithdegau oedd ar eu gwyliau. Ysgydwodd hwnnw ei ben a chodi ei ysgwyddau.

'So hi'n bell wy'n siŵr,' cysurodd John Gareth.

'Ddylwn i ddim fod wedi ei gadael hi ar ei phen ei hun.' Estynnodd Carys ei mobeil a ffonio ei mam. Canodd am sbel yna aeth i'r peiriant ateb.

'Be dwi'n mynd i neud? Dwi wedi ei cholli hi! Dwi 'di colli Mam!'

Roedd Carys wedi mynd i banics llwyr erbyn hyn. Dechreuodd gerdded 'nôl ac ymlaen ar hyd y palmant yn wyllt. 'Mam! Mam!'

'Falle bod hi wedi mynd am wâc,' cynigiodd John Gareth.

'Efo'i chlun giami? Dwi ddim yn meddwl.'

Yna canodd mobeil Carys. Diolchodd i Dduw pan welodd enw ei mam ar y sgrin. Rhuthrodd i'w ateb.

'Mam? Dach chi'n iawn?'

'Carys? Fi sy 'ma, wnest di ffonio rŵan?'

'Lle ydach chi? Dach chi'n iawn?'

'O'dd y ffôn 'ma reit ar waelod fy mag. O'n i'n methu cael ato fo ddigon buan, yli.'

'Lle ydach chi, Mam?'

'Lle ydw i? Dwi prin yn dy glywed di... Ma'r lein 'ma'n wael.'

Gwyddai Carys yn iawn fod y lein yn berffaith glir. Clyw Thelma oedd yn wael.

'Lle ydach chi? Ma John... Gareth a fi yn disgwyl amdanoch chi yn y caffi.'

'Dwi mewn tacsi ar y funud,' atebodd ei mam yn siriol.

'Tacsi?' Am un funud wyllt meddyliodd Carys fod ei mam drwy ryw ryfeddol wyrth wedi llwyddo i gael tacsi yn ôl o ynys Capri i'r tir mawr.

'Ia, ar fy ffordd yn ôl.'

'Ar eich ffordd yn ôl o le?'

'Tŷ Gracie Fields.'

'Be?'

Roedd y sgwrs yn mynd yn fwy a mwy bisâr bob munud.

'Wnes i ddechrau sgwrsio efo'r cwpl 'ma oedd yn ista wrth fy ymyl i yn cael paned. Janet a Nick o Rawtenstall. Pethau clên ofnadwy. A dyma fi'n deud fy hanes wrthyn nhw, fy mod i wedi bod yn sâl môr a ballu a finnau wedi dŵad yma yn un swydd i weld lle roedd Gracie Fields yn arfer byw. A dyma hwythau'n deud mai ar eu ffordd yno oeddan nhw a dyma'n nhw'n cynnig i mi fynd efo nhw. Ac mi es i. Dan ni ar ein ffordd yn ein holau rŵan. O'n i wedi gobeithio y buaswn i yn fy ôl cyn chi'ch dau.'

'O, reit,' meddai Carys gan rowlio ei llygaid ac ysgwyd ei

phen ar John Gareth. 'Ddisgwyliwn ni amdanoch chi'n fyma, 'ta.'

Roedd ei mam yn anhygoel. Waeth lle yn y byd roedd hi'n mynd roedd hi'n siŵr o ddechrau sgwrs efo rhywun. Mae'n siŵr fod Thelma wedi cael hynt a helynt y cwpl clên yma o'u cyfarfyddiad cyntaf i'w hanes hyd heddiw. I ddisgwyl amdani, archebodd Carys a John Gareth goffi yn y caffi. Waeth iddyn nhw wneud hynny ddim.

'Fasat ti'n meddwl y bysa Mam wedi ffonio neu decstio i ddeud, basat?' ochneidiodd Carys. 'Tipical.'

'Sdim ots. Beth sy'n bwysig yw ei bod hi'n olréit,' meddai John Gareth gan wenu arni'n gysurlon. 'Fe allai hi fod wedi cael ei chidnapo,' meddai wedyn yn tynnu ei choes.

'Dwi'n siŵr y bysan nhw'n dŵad â hi yn ei hôl yn reit handi,' atebodd Carys gan wenu arno'n ôl.

'A ma fe'n rhoi mwy o amser i ni'n dau ddala lan 'da'n gilydd.'

Ddwedodd Carys ddim byd. Cymerodd sip arall o'i choffi.

'Ma 'da fi gyfaddefiad mowr i'w neud,' datganodd John Gareth yn syber ymhen sbel. Edrychodd i fyw llygaid Carys.

Rhoddodd stumog Carys dro. Oedd o'n amau rhywbeth yn barod am Siôn?

'Be?' meddai'n dawel gan lyncu ei phoer.

'Plis, paid â bod yn gas 'da fi. Addo i fi na fyddi di'n grac 'da fi.'

Beth ar wyneb y ddaear oedd y cyfaddefiad mawr yma felly? Oedd ei rhif ffôn wedi bod ganddo fo a heb gael ei ddifetha wedi'r cwbl? Ddim ond wedi penderfynu peidio â'i ffonio hi oedd o? Roedd yn bosibilrwydd cryf.

'Nid fy nghwch i yw'r *Foxy Lady*.'

Edrychodd Carys arno'n ddryslyd. 'Cwch pwy ydi o felly?'

'Wedi ei logi e ydw i. Wy wedi ei logi e am ddiwrnod. O'n i moyn neud argraff ar dy fam a tithe. Wel, ti'n benna. Pan soniodd dy fam am Gracie Fields a Capri nithwr ges i brenwef, i gynnig mynd â chi yna mewn cwch. Gymerodd dy fam yn ganiataol bod gen i gwch fy hun, ac yn hytrach na gweud taw llogi cwch o'n i'n bwriadu ei neud, fe wnes i adel iddi feddwl mod i'n berchen cwch. Ma'n flin 'da fi am eich twyllo chi.'

'Ond mi wyt ti'n gallu hwylio cwch, dwyt? Ti wedi hwylio cwch o'r blaen, 'do? Ma'n rhaid dy fod ti. Ti weld fel tasat ti'n gwbod be ti'n neud.' Roedd rhyw don fawr o banig wedi dod trosti fwyaf sydyn.

'Odw, odw,' meddai John Gareth yn galonogol. 'Ma trwydded hwylio 'da fi. Os 'yt ti wedi ca'l dy fagu yng Nghei Newydd, ma'r môr yn dy wa'd ti. O'dd 'da Dad gwch ac o'n i'n arfer hwylio hwnnw, ac o'n i'n aelod o'r clwb hwylio am flynydde hefyd.'

'Iawn felly, tydi,' ochneidiodd mewn rhyddhad.

'So ti'n grac 'da fi?'

'Pam fyswn i'n grac efo chdi?'

'Wel, am esgus taw fy nghwch i o'dd e. Eich camarwain chi'ch dwy. Wy moyn i ti ddeall mod i ddim yn un sy'n gweud celwydd. Ond o'n i jyst moyn creu argraff dda arno ti a dy fam.'

'Pam yn y byd y basat ti isio gneud hynny?'

'Ti'n gwbod yn iawn pam,' plygodd John Gareth ymlaen a chwpanu ei ddwylo dros ei dwylo hi ar y bwrdd. 'Wy mor sori, Car... 'Sen i jyst yn gallu troi'r cloc 'nôl. 'Sen i jyst wedi tynnu'r papur *chewing gum* 'na o boced fy jîns a'i gadw fe'n ddiogel yn fy waled neu rywle. Wy'n difaru'n enaid na wnes i 'nny.'

Tynnodd Carys ei dwylo oddi ar y bwrdd yn wyllt. 'Lle ma'r ddynes 'ma, dŵa?'

Edrychodd o'i chwmpas ac ar ei wats.

'Ma'n amlwg bo ti 'di llwyddo i fy anghofio i yn gloi iawn, ta beth,' medda fo gan gymryd sip o'i goffi.

'Be ti'n feddwl?' Trodd Carys ei phen yn syn.

'Brawd Gethin. Siôn ife? Ei dad e. Soniodd Rebeca taw hanner brodyr yw Gethin a Siôn.'

Dechreuodd ei chalon guro'n gyflymach. Llyncodd ei phoer.

'Ma'n amlwg bo ti ddim 'di gwastraffu amser. 'Nest di gwrdd â rhywun arall yn gloi iawn ar fy ôl i, yn do fe?' Roedd yn amlwg o dôn ei lais ei fod wedi'i frifo i'r byw.

'Wnes i ddim cyfarfod neb,' cyfaddefodd Carys yn dawel. 'Wnes i ddim cyfarfod neb arall nes i mi gyfarfod Medwyn, tad Gethin.' Cododd ei gorwelion gan syllu'n syth i fyw ei lygaid, yr un lliw llygaid yn union â'i chyntaf-anedig.

Rhoddodd John Gareth ei gwpan i lawr yn araf wrth i'r dadleniad wawrio arno. 'Ti rio'd yn gweud taw fi...'

'Iw-hw! Dwi'n ôl,' clywyd llais siriol Thelma yn agosáu. Plonciodd ei hun yn y gadair wag wrth y bwrdd. 'Ew, panad fysa'n dda cyn i ni fynd yn ein holau. Be dach chi'n ddeud?'

PAID Â MALU CACHU!

FYDDAI WEDI BOD yn rheitiach o lawer tasa Thelma heb gael y *latte* a'r gacen siocled a *ricotta*, gan iddi eu gweld nhw eto ymhen hanner awr. Teg oedd dweud nad oedd y daith yn ôl fymryn gwell na'r daith yno. Bellach, roedd y gwynt wedi codi ac er iddynt fynd yn eu holau ar yr injan bownsiai'r cwch yn galed ar ewyn y don.

Munud y cyrhaeddodd y *Foxy Lady* y lan anelodd y tri am y tacsi agosaf i hebrwng Thelma a Carys yn ôl i'r gwesty. Roedd yn rhaid i John Gareth a Carys afael un bob ochr ym mraich Thelma gan ei thywys ar hyd y marina.

Cyn i Carys ddiflannu i mewn i'r tacsi ar ôl ei mam, gafaelodd John Gareth yn ei braich a sibrwd wrthi, 'Ni'n dou angen siarad. Alla'i ddod draw i'r gwesty heno.'

'Gawn ni sgwrs fory. Yn y briodas, ia?' sibrydodd Carys yn ôl, gan amneidio i gyfeiriad ei mam a oedd yn rhyw led-orwedd a'i llygaid ynghau yn y sedd ôl.

Nodiodd John Gareth ei ben. Gallai weld bod gan Carys fwy na digon ar ei phlât y funud honno heb ychwanegu aduniad teuluol hefyd.

Ar y ffordd yn ôl i'r gwesty yn y tacsi yr unig beth ar feddwl Carys oedd bod yn rhaid iddi ddweud wrth Siôn. Roedd yn rhaid iddi ddweud wrtho cyn gynted â phosib mai tad Rebeca oedd ei dad yntau hefyd. Rŵan bod John yn gwybod roedd yn rhaid iddi ddweud wrtho. Neu, gallai ddychmygu'r *senario* yn y briodas fory a John Gareth yn mynd draw at Siôn gan ddatgan rhywbeth i'r perwyl, 'Hei Siôn, fi yw dy dad di. Beth ti'n feddwl o 'nny, 'te?'

Tecstiodd ef yn wyllt:

Haia, dwi angen siarad efo chdi yn breifat. Heno. Mae'n bwysig. Mam x

'Pam oedd Gareth isio dod draw i'r gwesty heno?' holodd Thelma, oedd bellach wedi dod ati ei hun rywfaint, pan oedd y ddwy'n cerdded i gyfeiriad y stafell fwyta ar gyfer swper.

Blydi hel, ochneidiodd Carys. Doedd ei mam ddim mor wael â hynny'n gynharach, mae'n rhaid, iddi allu cymryd sylw o'r hyn ddwedodd John Gareth.

'O, dim byd, nath o feddwl dŵad heibio i'r gwesty heno ond i be, 'te? Bydd pawb isio noson gynnar, bydd?' atebodd Carys gan ddweud y peth cyntaf ddaeth i'w phen hi.

'Bechod, cradur. Ddylet ti wedi deud wrtho fo am ddŵad draw. Unig ydi o ar yr hen gwch 'na ma siŵr. Isio cwmni.'

'Ddim ei gwch o oedd o, 'chi. Wedi ei logi o am y diwrnod oedd o. Aros mewn gwesty mae o,' datganodd Carys wrth iddi bwyso botwm y lifft lawr i'r ystafell fwyta.

'Be? Wedi ei logi fo?'

Waeth bod Carys wedi dweud e fod o wedi'i ddwyn o ddim. Gwelodd Thelma. On'd oedd hi wedi bod dan yr argraff bod rhywun o'r un calibyr â Chay Blyth neb llai, neu o leiaf Dilwyn Morgan, wedi bod yn hwylio'r cwch?

'Arglwy' mawr! I feddwl mod i wedi risgio fy mywyd efo fo! Taswn i'n gwbod hynna, fysa'r un o 'nhraed i wedi mynd yn agos at y bali thing! Be haru'r dyn yn deud clwydda fel 'na? Gwylia di i mi'i weld o fory,' taranodd yn fygythiol.

'Dwi'n meddwl mai trio eich impresio chi oedd o.'

'Impresio fi?'

'Ia, fod ganddo fo gwch.'

'Hy! Impresio fi o faw! Mi o'dd ganddo fo ffordd od ar y naw o ddangos hynny. Trio 'moddi fi fwy fatha hi!'

Tra eu bod yn bwyta eu swper chlywyd mo'i diwedd hi gan Thelma. Bu'n rhuo a hefru a rhedeg ar John Gareth, dweud nad oedd o'n ffit. Dweud ei bod wedi ei siomi'n ddirfawr ynddo fo a fynta i'w weld yn ddyn mor glên a boneddigaidd ar yr olwg gyntaf. Hen gelwyddgi oedd o. Ac yn waeth na hynny roedd o wedi rhoi bywyd y ddwy ohonyn nhw yn y fantol ar y môr mawr yna.

'Dim rhyfedd fy mod i wedi bod yn sâl fatha ci,' dechreuodd arni wedyn pan oeddynt yn eistedd allan yn yr ardd yn mwynhau diod yng nghwmni Siôn, Greta a Sisial fach. 'Doedd o ddim yn gwbod sut i hwylio cwch yn esmwyth, nagoedd. Dim rhyfedd ei bod hi mor ryff.'

'Cym on ŵan, Nain, fasach chi'n mynd yn sâl ar y reids ceir bach yn Ffair Borth,' meddai Siôn yn cofio ond yn rhy dda am eu stop disymwth yn y Black Cat ar eu ffordd i'r maes awyr.

Anwybyddodd Thelma sylw powld ei hŵyr.

Ceisiodd Carys ddal ei lygaid. Roedd hi wedi bod yn ceisio gwneud hynny sawl tro ac ar binnau i siarad efo fo drwy'r nos. Ond roedd hwnnw fel petai'n gwbl anymwybodol o hynny. Neu, o'i adnabod o, ddim yn cofio. Roedd o'n gwybod yn iawn ei bod hi angen siarad efo fo gan ei fod wedi ateb ei thecst yn syth yn holi a oedd bob dim yn OK. Tecstiodd hithau'n ôl yn ei sicrhau fod bob dim yn iawn ond ei bod hi angen siarad efo fo ar ei ben ei hun y noson honno. Roedd wedi ateb drwy anfon llun codi bawd ati.

Disgwyl i Gethin gyrraedd oedden nhw. Roedd yn aros yn yr un gwesty â nhw y noson honno. Y bwriad gwreiddiol oedd y bysa fo'n ymuno efo'i deulu am swper. Ei swper olaf fel dyn rhydd, fel yr oedd Siôn mor hoff o ddweud. Ond er mawr siom i'w fam, roedd Gethin wedi tecstio'n gynharach yn ymddiheuro'n llaes nad oedd yn gallu dod draw tan yn hwyrach. Roedd mam Rebeca yn mynnu eu bod yn cael un ymarfer olaf o'u dawns gyntaf i sicrhau fod pob cam yn berffaith.

Ers wythnosau roedd Gethin a Rebeca wedi bod yn ymarfer dawnsio i'r gân 'Perfect' gan Ed Sheeran, eu dewis ar gyfer eu dawns gyntaf fel pâr priod. Bob nos Iau roedd Rebeca wedi bod yn aberthu ei dosbarthiadau sbin er mwyn i Gethin a hithau gael gwersi dawnsio preifat yn eu cartref. Rhyfeddai Carys fod y ffasiwn beth ar gael. Pan briododd hi a Medwyn, smŵj *ad hoc* gafodd y ddau yn eu parti nos a doedd Carys ddim hyd yn oed yn cofio'r gân.

'O'dd y dyn yn gwbl anghyfrifol!' meddai Thelma wedyn. Roedd hi fel ci efo asgwrn.

'Chwarae teg rŵan, Mam,' ochneidiodd Carys yn ddifynedd. Roedd hi wedi cael mwy na llond bol ar ei mam yn dal i hefru am John Gareth. 'Mi oedd o'n gwbod be o'dd o'n ei neud. Ma John... Gareth yn gallu hwylio cwch, wyddoch chi.'

'Hy! Medda fo, 'te. Dwn i'm os fedri di drystio gair sy'n dod allan o'i geg o. Gwylia di i mi ei weld o fory.'

'Dach chi ddim yn mynd i neud sîn, nadach? Yn y briodas? O flaen pawb?' gofynnodd Carys yn boenus.

Fyddai hi ddim y tro cyntaf i'w mam lyfu'r llawr yn gyhoeddus efo rhywun. Cofiai Carys ond yn rhy dda, y tro hwnnw wrth iddi warchod Sisial am y diwrnod, pan aeth y tair am dro i'r ŵyl fwyd yng Nghaernarfon. Fel pob plentyn bach, roedd yn rhaid i Sisial gael hufen iâ ac er bod ciw fel rhuban i'r fan eis crîm ymunodd y tair yn y rhes. Daeth rhyw ddyn o rywle gan stwffio i mewn o'u blaenau yn hy.

Heb lyncu ei phoer hyd yn oed, dyma ei mam yn ei dapio ar ei ysgwydd. Trodd y bonwr powld rownd a syllu arni. Gwenodd yn glên gan gymryd ei bod wedi ei adnabod ac yn dymuno ei longyfarch ynglŷn â'i orchest ddiweddaraf fel bardd arobryn mewn rhyw eisteddfod neu'i gilydd. Buan iawn y diflannodd ei wên pan ddatganodd Thelma efo cloch wrth bob dant:

'Yli, 'ngwas i, ella dy fod ti wedi dod i'r blaen mewn sawl steddfod ond glua hi yn ôl i gefn y ciw yma.'

I sŵn giglan y ciw eis crîm, heglodd y bardd coronog i ben draw'r criw, ei grib wedi'i dorri a'i gynffon rhwng ei afl.

'Nachdw siŵr,' meddai Mam yn big. 'Mi ga'i air bach tawel yn ei glust o.'

Gwyddai Carys ond yn rhy dda bod tawel a'i mam yn antithesis llwyr.

Ymhen hir a hwyr cyrhaeddodd Gethin. Roedd o ar ei gythlwng, wedi dod yn syth draw ar ôl ei ymarfer dawnsio. Ordrodd *pizza* oddi ar *menu* y bar. Y *pizza* cyntaf ers wythnosau lawer gan fod Rebeca wedi rhoi'r ddau ohonynt ar ddiet cyn y briodas fawr.

'Fasat ti'n meddwl dy fod ti'n cymryd rhan ar *Strictly Come Dancing* myn uffar i, efo'r holl bractis dach chi wedi'i gael,' pryfociodd Siôn.

Gwgodd Gethin arno gan gymryd sip o'i beint.

Gwenodd Carys yn falch ar ei meibion. Yn anffodus, ddim yn aml y dyddiau hyn y byddai hi'n cael y cyfle i fod yng nghwmni'r ddau efo'i gilydd. I ble roedd y blynyddoedd wedi mynd, meddyliodd? Teimlai ond fel ddoe pan oedd y ddau'n chwarae efo Lego, yn reidio beics, cicio pêl, rhedeg am y bws ysgol a dyma nhw rŵan yn ddynion. Ond ei hogiau hi oedden nhw o hyd. Ei babis hi fydden nhw am byth.

Er mi fyddai pethau'n wahanol o fory ymlaen efo Gethin yn priodi. Mewn ffordd roedd hi wedi bod yn lwcus efo Siôn. Doedd o ddim wedi hedfan yn bell iawn o'r nyth. Fuodd o'n byw gartref hyd nes iddo fo a Greta benderfynu prynu un o'r tai fforddiadwy hynny oedd newydd gael eu hadeiladu ar gyrion y dref. Roedd yn galw draw i'w gweld hi o leiaf ddwywaith yr wythnos ac roedd hi'n gwarchod Sisial yn rheolaidd. Roedd hi wedi bod yn ffodus hefyd yn ei ddewis o bartner, Greta, a oedd yn hen hogan iawn.

Yn ddigon rhyfedd roedd Siôn a Gethin wedi dewis dwy ferch hollol wahanol i'w gilydd. Os oedd Greta yn hipïaidd yn ei ffordd, hip and trendi a *'very high maintenance'*, chwedl Siôn, oedd Rebeca.

Gobeithiai Carys y byddai Gethin yn hapus efo hi. Gwyddai o fory ymlaen y byddai yna linyn arall yn cael ei dorri rhyngthi hi a'i mab. Y llinyn olaf efallai. Roedd hi'n ddigon drwg pan aeth o i astudio i'r coleg. Ond o leiaf roedd yn dod adref ambell i benwythnos a phob diwedd tymor. Adref oedd ei gartref o hyd. Adref roedd ei ddatganiadau banc a'i bost pwysig yn cael eu hanfon o hyd. Ond ar ôl iddo raddio a symud i fyw i Gaerdydd doedd bron ddim o'i hoel yno bellach, heblaw am ryw hen gôt flêr a hen bâr o dreinyrs drewllyd.

Roedd bywyd Gethin wedi symud yn ei flaen, fel yr oedd y drefn i fod wrth gwrs, ond doedd hynny'n lleddfu dim ar hiraeth Carys am ei hogyn bach. Yr hogyn bach a dyfodd yn ddyn. Ddim y hi oedd yn dod gyntaf yn ei fywyd bellach, ond Rebeca. Gwyddai'n iawn mai fel yna roedd pethau i fod. Dyna oedd y drefn i fod. Ond y drefn neu beidio doedd hynny ddim yn ei gwneud hi fymryn yn haws nac yn golygu ei fod yn brifo dim llai. Gwir oedd y dywediad bod merch yn ferch am byth a bod mab ond yn fab hyd nes iddo gael gwraig.

'Ti wedi cofio dŵad â dy siwt efo chdi, do, Geth?' meddai Carys yn famol. Roedd hi'n methu helpu ei hun.

'Do, Mam.'

'A dy sgidia?'

'Do, Mam,' ochneidiodd Gethin.

'A trôns glân? Dau gobeithio. 'Cofn i ti gachu'n drowsus,' winciodd Siôn ar ei frawd bach.

'Ha ha, doniol iawn,' meddai Gethin gan dynnu wyneb. 'O ia, mae mam Rebeca isio i mi gofio deud wrthat ti nad w't ti i gynnwys unrhyw jôcs anweddus yn dy araith fory.'

'Clywch, clywch,' eiliodd Thelma.

'Jôcs anweddus? Pwy fi? Fel taswn i!' ebychodd Siôn yn ddiniwed a fflach ddireidus yn ei lygaid.

'Siôn,' meddai Gethin yn rhybuddgar.

'Neith o ddim siŵr. Na wnei, Siôn?' meddai Carys yn trio ei gorau i dawelu ei ofnau. Ond o adnabod ei mab hynaf, pwy a ŵyr?

'Gawn ni weld, 'de.' Gwenodd Siôn yn ddrygionus ar ei fam a'i frawd. 'Rhaid i mi sgwennu'r blwming peth gynta, bydd?'

'Be? Dwyt ti byth wedi'i sgwennu hi?' gofynnodd Gethin yn gegagored.

'Duwcs, ma 'na ddigon o amser, does. Dwyt ti ddim yn priodi tan bnawn fory. Fydd o'n rhwbath i mi neud yn y bora. Ma o i gyd yn fyma,' gwenodd Siôn drachefn gan bwyntio ei fys at ei ben.

'O Siôn, ti'n cofio fi'n sôn wrtha chdi mod i isio chdi gael golwg ar y seff?' syllodd Carys i fyw ei lygaid. 'Awn ni'n dau i fyny i gael golwg arni hi rŵan, ia?'

Manteisiodd Carys ar ei chyfle. Roedd hi wedi bod yn crafu ei phen drwy'r nos yn trio meddwl am esgus i gael Siôn ar ei ben ei hun.

'E? Pa seff?' gofynnodd Siôn yn ddryslyd.

'Y seff yn stafell dy nain a finnau? Ti'n cofio fi'n sôn wrtha chdi? 'Nes i *decstio* chdi…?' Pwysleisiodd Carys y gair tecstio.

'Wnest ti ddim sôn dim byd wrtha i nad ydi hi'n gweithio,' meddai ei mam yn methu dim fel arfer.

'Tyrd, biciwn ni fyny i gael golwg arni hi, ia?' pwysodd Carys eto.

O'r diwedd, ac er mawr ryddhad i Carys, gwawriodd ar Siôn beth oedd gan ei fam dan sylw.

'O ia, awê, 'ta, i ni gael gweld be sy matar.'

'Ddo'i efo chi,' meddai Thelma gan godi oddi ar y soffa. 'Dwi isio nôl fy nghardigan. Tydi hi ddim mor gynnes allan yma heno.'

'Na, arhoswch chi'n fan'na,' meddai Carys yn wyllt. Yna meddalodd yn syth cyn i'w mam amau bod rhywbeth yn y gwynt. 'Steddwch chi'n fan'na i chi gael sgwrs efo Gethin. Dach chi ddim yn cael cyfla'n aml. Ddown ni â'ch cardigan i lawr i chi. Fyddwn ni ddim yn hir. Tyrd, Siôn.'

Cyn i Thelma gael cyfle i roi un droed o flaen y llall ymhellach, diflannodd Carys i mewn i'r gwesty gan dynnu Siôn wrth ei sgrepan ar ei hôl.

'Be t'isio ddeud wrtha fi sydd mor bwysig 'lly?'

Caeodd Carys ddrws ei stafell yn dynn. Yna trodd i wynebu ei mab.

'Well i ti ista lawr dwi'n meddwl.'

O dôn llais a gwep ei fam synhwyrodd Siôn fod rhywbeth mawr ar droed. Eisteddodd ar y gwely agosaf.

'Shit, ti'n sâl neu rwbath?'

'Nacdw, nacdw.'

'Ydi Nain yn wael, 'ta?

'Nac ydi. Yli, does 'na neb yn sâl, OK?'

'Be sy, 'ta?'

Ochneidiodd Carys yn ôl ei harfer. 'Yli, does 'na ddim ffordd hawdd i mi ddeud hyn. Felly dwi jyst am ei ddeud o.'

'Ffwcing hel, Mam, ti'n fy nychryn i rŵan.' Yna meddyliodd Siôn am un o'r pethau mwyaf ofnadwy a allai ddigwydd. Cynhyrfodd drwyddo. A doedd Siôn byth yn cynhyrfu. 'No ffwcing we ma Greta'n ca'l affêr. No we ei bod hi!'

'E? Nac ydi siŵr! Be haru ti, hogyn?'

'Ti'n siŵr?'

'Yndw, dwi'n siŵr. Wel, hyd y gwn i, 'de.'

'Be?' Dechreuodd Siôn gynhyrfu unwaith eto.

'Nachdi siŵr. Yli, tydi Greta ddim yn ca'l affêr,' prysurodd Carys i dawelu ofnau ei mab. 'Tydi hi'n meddwl y byd ohono chdi? Fysa hi byth bythoedd yn anffyddlon i chdi.'

Trawsnewidiwyd wyneb Siôn wrth i'r rhyddhad lifo drosto. 'O'n i'n meddwl am funud fach mai dyna oeddet ti isio ei ddeud wrtha fi. Gweld dy fod ti isio siarad efo fi ar ben fy hun, yn sicryt 'lly.'

'Ma nelo hyn efo dy dad, Siôn.'

'Be – Medwyn?'

'Naci, naci. Dy dad go iawn di.'

'E?'

Llyncodd Carys ei phoer ac aeth i eistedd ar y gwely wrth ei ochr.

'Ti'n gwbod tad Rebeca...'

'Iestyn?'

'Naci, naci. Ei thad go iawn hi. Gareth.'

'Be amdano fo?' gofynnodd Siôn yn araf gan syllu i fyw llygaid ei fam. Syllodd Carys yn ôl i fyw ei lygaid yntau.

'E? Ti rioed yn deud mai fo ydi...' Doedd Siôn ddim hyd yn oed yn gallu dweud y geiriau.

Nodiodd Carys ei phen.

'Paid â malu cachu!'

Dechreuodd Siôn chwerthin.

'Dwi'n deud y gwir 'that ti.'

'Ond ddeudest di mai John oedd enw 'nhad i.'

'John Gareth ydi'i enw fo. Gareth ydi ei enw canol o. O'dd gin i ddim syniad, Siôn, hyd nes i mi ei weld o'r noson o'r blaen. Ges i uffar o sioc.'

Er mawr syndod i Carys, dechreuodd Siôn rowlio chwerthin hyd nes roedd dagrau'n powlio i lawr ei wyneb.

'Be sy mor ddigri? Pam ti'n chwerthin? Rho gora iddi.'

'Ffwcing hel, Mam,' medda fo ar ôl iddo ddod ato'i hun ryw fymryn. 'Ma gin i hanner chwaer a hanner brawd. Ac mae'r ddau'n mynd i briodi ei gilydd fory. Ydi hynna'n *incest*, dŵa?'

'Paid â siarad yn wirion!'

'Ma o'n uffar o gyd-ddigwyddiad, tydi? O'r holl ferched y bysa Geth wedi medru eu dewis i briodi, mae o'n dewis merch tad dy fab arall di. Blydi hel, Mam. Dwi'n gwbod bod Cymru'n fach, 'de, ond ma hyn yn ridicilys. Pwy arall sy'n gwbod? Ydi John neu Gareth neu be bynnag ydi ei enw fo yn gwbod?'

'Ddeudes i wrtho fo ddoe, o'n i ddim wedi bwriadu…'

'Dwi'n siŵr ei fod o wedi ca'l uffar o sioc.'

'Wel… Do.'

'Fo ydi 'nhad i, 'lly.'

Nodiodd Carys ei phen.

'Mae o i weld yn foi iawn. Hynny dwi 'di weld ohono fo,' meddai Siôn ar ôl sbel.

'Ma o, sdi,' gwenodd Carys yn annwyl ar ei mab.

Daeth gwg ar ei wyneb a difrifolodd. 'Ddeudodd o wrthat ti pam nath o ddim dy ffonio di ar ôl i chi ddod adra o Groeg?'

'Do, mi nath o golli'r rhif ffôn.'

'O, do wir? Wel, am gyfleus! A ti'n coelia hynna? Cym on, honna ydi'r lein ma'n nhw i gyd yn ei hiwsio, Mam. Asu, dwi 'di hiwsio hi fy hun, sawl gwaith.'

'O'dd o wedi sgwennu fy rhif ffôn ar bishyn o bapur ac wedi ei gadw fo ym mhoced ei jîns. Mi nath ei fam o olchi'r jîns cyn iddo gael cyfle i wagio ei bocedi. Dwi'n ei goelio fo, Siôn. Doedd ganddo fo fel finnau ddim modd o gysylltu.'

'Rhwbath fel'na fysa wedi digwydd i mi,' cyfaddefodd Siôn yn gyndyn. 'Blydi hel, fedra'i ddim coelio'r peth.'

Doedd Carys ddim yn siŵr iawn i grio 'ta chwerthin. Roedd hi mor falch bod Siôn wedi derbyn y newyddion am ei dad mor dda. Ond un fel 'na oedd Siôn, roedd o wastad yn cymryd pethau fel roeddynt yn dod, heb gynhyrfu dim.

'Be 'di'r plan fory, 'lly?' gofynnodd a'r olwg ddireidus yn ôl ar ei wyneb "Sa ti'n licio i fi ddeud yn fy *speech*: "Rebeca, yn lle cael brawd yng nghyfraith heddiw a finna chwaer yng nghyfraith, syrpréis, syrpréis, mi ydan ni'n hanner brawd a chwaer"?'

'Paid ti â meiddio! Diwrnod Geth a Rebeca ydi hi fory. Y nhw'll dau sy'n bwysig a dwi ddim isio i ddim byd ddifetha eu diwrnod mawr nhw, ti'n dallt? Ma gynnon ni ddigon ar ein platiau fory heb sôn am ychwanegu hyn i'r briwas hefyd. Ond dwi'n gobeithio y bydd pawb yn ddigon aeddfed a chall i ddelio efo hyn,' meddai wedyn.

Er yn dawel bach doedd hi ddim mor siŵr beth fyddai ymateb Meira, heb sôn am ei mam. Roedd beryg i honno gael thrombo yn y fan a'r lle.

HOUSTON, WE HAVE A PROBLEM...

DWYT TI DDIM yn edrych yn rhy ddrwg, yr hen 'ogan. Ddim yn rhy ddrwg o gwbl.

Edmygodd Carys ei hun yn y drych. Gwenodd a rhoi twyrl fach yn ei ffrog shift les nefi a'i hesgidiau sodlau uchel swed nefi. Biti na fyddai hi wedi cael mis arall yn Slimming World, falla y byddai wedi gallu colli rhyw bedwar pwys arall. Ond dyna ni, mi oedd hi yr hyn oedd hi a diolch byth am Spanx. Er y gwyddai y byddai Llinos yn edrych fel tasa hi newydd gamu oddi ar y *catwalk* ac y gwyddai yn iawn hefyd fod Meira Lloyd Jenkins wedi mynd amdani go iawn yn ei rôl fel myddar of ddy breid. Un noson, fisoedd yn ôl, roedd hi wedi ffonio Carys.

'Nawr 'te, ein howtffits,' datganodd. Chafwyd ddim 'helô, sut wyt ti?', nac unrhyw gyfarchiad arall chwaith, dim ond yn syth at y pwynt.

'Owtffits, pa owtffits?' gofynnodd Carys yn damio'r styrbans. Chwiliodd am y remôt er mwyn rhewi'r ailddarllediad o *The Great British Bake Off*, un o'i hoff raglenni.

'Ein howtffits ar gyfer y briodas, siŵr iawn,' byrlymodd Meira. 'Yr *etiquette* arferol yw y dylen i fel mam y briodferch ddewis fy owtffit i gynta, yna gadael i ti wbod beth wy 'di ddewis er mwyn i ni gomplementio'n gilydd. So ti wedi prynu dy owtffit 'to, 'yt ti?' gofynnodd mewn panic. Fyddai Carys wedi pisio ar ei tsips go iawn tasa hi wedi meiddio gwneud y ffasiwn beth.

'Dim ond mis Chwefror ydi hi, Meira, ma 'na fisoedd i fynd eto,' gwaredodd Carys, yn meddwl yr un pryd fod yna rywbeth reit secsi am Paul Hollywood, er gwaetha'r ffaith ei fod o'n dipyn o ben bach.

Clywodd Carys yr ochenaid o ryddhad yr ochr arall i'r lein.

'Ma gofyn dechre whilo nawr neu dim ond dillad ar gyfer y gaea fydd yn y siopau. Fydd dim lot o ddewis i ga'l, heblaw rhyw hen stwff fydd ar ôl yn y sêls.'

Roedd ar flaen ei thafod i ddweud mai prynu yn y sêls yr oedd hi'n bwriadu ei wneud. Ond penderfynodd Carys beidio.

'Nawr 'te, wy a Rebeca yn bwriadu mynd i whilo am owtffit i fi dydd Sadwrn hyn. Os ga'i lwc, wna i adael i ti wbod ac mi wna'i anfon llun o beth wy 'di brynu rhag ofan i ni glasho, neu'n wa'th, i ti brynu'r un owtffit.'

Gwyddai Carys na fyddai beryg yn y byd i hynny ddigwydd gan fod chwaeth y ddwy, ac yn bwysicach na hynny, cyllideb y ddwy mor wahanol.

Ar y nos Sadwrn derbyniodd Carys lun o Meira Lloyd Jenkins yn ei glori. Gwisgai shiffon *oyster* pinc o'i chorun i'w sawdl a het ddigon mawr i alw chi arni hi. Syllodd Carys ar yr *ensemble* na fyddai hi byth bythoedd yn cymryd y ddaear i'w wisgo ei hun. Ond o adnabod Meira, yr union beth y byddai hi wedi mynd amdano. Tasa hi'n mynd i briodas Frenhinol yn Westminster Abbey fyddai hi ddim crandiach. Roedd hi'n amlwg fod yr holl *ensemble*, y ffrog, y siaced, yr esgidiau, y bag, yr het, (i gyd yn cydweddu wrth gwrs) wedi costio ceiniog a dimau.

Ond er y gost, teimlai Carys yr un mor grand yn ei ffrog les nefi hithau. Ffrog a brynodd ar sêl ar y we. Fyddai Carys byth bythoedd wedi gallu ei fforddio hi fel arall. Roedd y pris wedi ei ostwng saith deg y cant oddi ar y gwreiddiol. Bargen yn wir ac roedd Carys wrth ei bodd efo bargen. Gallai sefyll ochr yn ochr â Meira Lloyd Jenkins y pnawn hwnnw heb deimlo unrhyw embaras na chywilydd. Hynny ydi tan i'w mam roi pin yn ei swigen.

'Tydi'r ffrog 'na ddim braidd yn dynn i chdi, dŵa?' meddai honno gan fwrw ei golygon yn feirniadol i fyny ac i lawr ar Carys.

'Dach chi'n meddwl? Yn lle?' gofynnodd Carys, ei hwyneb yn disgyn a'r gwynt wedi'i dynnu o'i hwyliau'n syth.

'Ma hi'n dangos dy siâp di i gyd. Yn enwedig dy fol di. Ma siŵr y bydd hi'n iawn efo *pashmina* drosti.'

Cyfrodd Carys i ddeg. Gallai grogi ei mam ar adegau ac roedd rŵan yn un o'r adegau hynny.

'Sut dwi'n edrych, 'ta?' gofynnodd Thelma yn towtio am gompliment. Sythodd gantel ei het ac edmygodd ei hun yn y drych yn ei ffrog batrymog *duck egg blue* a nefi a'r siaced fach blaen, *duck egg blue.*

'Del iawn,' meddai Carys yn swta. 'Fyddwch chi ddim yn boeth yn y siaced 'na, dwch?'

'Choelia'i!' wfftiodd ei mam. Ddim ar boen ei bywyd roedd hi'n bwriadu arddangos ei *bingo wings* yn gyhoeddus, yn enwedig mewn priodas o bob man. Roedd yn well ganddi ddioddef y gwres na gwneud hynny.

'Chi sy'n gwbod.' Edrychodd Carys ar ei wats. Roedd ganddynt ddigonedd o amser tan roedd y tacsi yn cyrraedd i'w hebrwng i'r clwysty. Roedd ei mam wedi mynnu bod y ddwy'n dechrau cael eu hunain yn barod yn syth ar ôl cinio. Er nad oedd yn bell iawn, roedd Carys wedi penderfynu ei fod yn rhy bell i gerdded mewn sodlau. Felly roedd hi wedi gofyn i'r dderbynfa fwcio tacsi i hebrwng ei mam, Siôn, Gethin a hithau i'r seremoni. Roedd Greta a Sisial wedi cael symans gan Meira i fynd draw i'r gwesty at Rebeca yn syth ar ôl cinio, er mwyn i Sisial newid i'w ffrog a chael gwneud ei gwallt yn y fan honno. Byddai'r ddwy wedyn yn mynd draw i'r clwysty yng nghwmni Rebeca a'r criw.

Doedd Carys ddim yn siŵr iawn beth fyddai ymateb Meira i ffrog cafftan *tie-dye* emrallt, pinc a phiws Greta chwaith. Na'i phymps canfas amryliw. Pan welodd Thelma'r baenes cyn iddi adael efo Sisial, rhythodd arni'n gegagored. Gwnaeth Carys bâr o lygaid ar ei mam yn y gobaith y byddai honno'n cymryd yr hint i beidio â datgan unrhyw goments. Ac am unwaith mi weithiodd. Neu ei bod hi mewn cymaint o sioc iddi gael ei tharo'n fud, am newid.

Ond munud y cafodd Thelma gefn Greta, dyma hi'n dechrau arni.

'Doedd 'na olwg ar yr hogan 'na? Does ganddi ddim unrhyw fath o dres sens, na ffashion sens yn y byd, nagoes? I briodas ma hi'n mynd, ddim i ryw garnifal hipis!'

Wrthi'n gosod ei *fascinator* ar ei phen oedd Carys pan ganodd ei mobeil. Am un foment wallgo meddyliodd mai John Gareth oedd yno. Callia, ceryddodd ei hun. Does ganddo fo ddim dy rif ffôn di. Doedd rhai pethau byth yn newid.

'Pwy sy 'na?' holodd ei mam ar ei ffordd i'r tŷ bach eto fyth, yn talu'r pris ar ôl yfed gormod o baneidiau coffi'r bora hwnnw.

'Siôn,' ochneidiodd Carys pan welodd ei enw ar y sgrin. 'Wedi anghofio ei gyfflincs neu sanau du, mwn,' atebodd y ffôn yn siriol. 'Haia Siôn. Be sy?'

'Houston, we have a problem,' datganodd ei lais yn ddifrifol yr ochr arall i'r lein.

'Be ti 'di anghofio, 'ta?' rowliodd Carys ei llygaid.

'Tyrd yma rŵan.'

'Iesgob, tydi o ddim yn ddiwedd y byd, sdi,' chwarddodd.

'O yndi mae o. Jyst tyrd yma rŵan, 'nei di?'

'Dwi'n siŵr y bydd gan Medwyn bâr o sana sbâr. Tecstia fo i ofyn.'

'E? Be ti'n mwydro am blydi sana? Ma Geth wedi newid ei feddwl.'

'Be?'

'Tydi o ddim isio priodi Rebeca.'

Rhoddodd stumog Carys dro.

'Ddo'i yna rŵan.'

Diffoddodd Carys ei ffôn.

Dyma beth oedd diffiniad go iawn o greisis.

'Dwi jyst yn piciad yn sydyn i weld Siôn a Geth. Fydda'i ddim yn hir,' gwaeddodd yn or joli i gyfeiriad y bathrwm, yn trio cuddio ei phanig.

Rhuthrodd o'r stafell cyn i'w mam gael cyfle i holi mwy.

BAI'R BYRST PEIP

'DWI'M YN GWBOD be i neud efo fo. Ma o jyst yn ista allan yn fan'na.' Amneidiodd Siôn i gyfeiriad y balconi lle eisteddai Gethin â'i ben yn ei blu heb gerpyn amdano heblaw am ei drôns bach Calvin Klein.

'Ydi o wedi deud wrthat ti'n blaen nad ydi o isio priodi Rebeca?' gofynnodd Carys. Ond roedd hi'n berffaith amlwg nad oedd o isio gwneud. Doedd ymarweddiad Gethin ddim yn un arferol i hogyn oedd ar fin priodi'r pnawn hwnnw.

Nodiodd Siôn ei ben. 'Ddoth o allan o'r shower ar ôl bod i mewn yna am oria, a jyst deud nad oedd o'n gallu neud o. Priodi 'lly. Ac aeth o i ista ar y balconi ac yn fanna mae o wedi bod. Ddudis i wrthat ti, 'do. 'Nes i ama yn y practis.'

Camodd Carys allan ar y balconi a dilynodd Siôn hi. Daliai Gethin i syllu yn ei flaen i nunlle.

'Haia Geth, ti'n iawn?'

Difarodd yn syth iddi ofyn cwestiwn mor ddwl. Eisteddodd yn y gadair wag wrth ei ochr a Siôn yn rhyw hofran tu ôl i'r ddau.

'Bai'r blydi byrst peip ydi hyn i gyd,' mwmiodd Gethin yn dawel ar ôl sbel. Daliai i syllu o'i flaen.

Edrychodd Carys a Siôn ar ei gilydd yn ddryslyd.

'E? Sut 'lly?' gofynnodd Siôn cyn i Carys gael cyfle i holi.

'Adeg hynny ddigwyddodd o, 'de.'

Edrychodd Carys a Siôn ar ei gilydd am yr eilwaith. 'Ddigwyddodd be, Geth bach?' gofynnodd Carys.

'Adeg y byrst peip. Dyna pryd 'nes i symud i mewn at Rebeca. O'n i'n meddwl ei fod o'n syniad da ar y pryd.'

Cofiai Carys y digwyddiad yn iawn. Pan gafodd fflat Gethin y dilyw mawr, y peth nesaf glywodd Carys oedd bod Gethin wedi symud i mewn bag and bagej at Rebeca i'w thŷ hi ym Mhontcanna. Roedd hi wedi meddwl ar y pryd ei fod braidd yn fyrbwyll. Doedd y ddau ond wedi bod yn gweld ei gilydd cwta chwe mis os hynny. Iawn, petai'n drefniant dros dro, ond daeth hi'n amlwg yn fuan iawn mai trefniant parhaol oedd hwn. Byddai wedi bod yn well o lawer tasa fo wedi mynd i aros at un o'i fêts dros dro. Dylsa hi fod wedi awgrymu hynny wrtho. Lleisio ei hamheuon wrtho bryd hynny am ei benderfyniad i symud i fyw at Rebeca. Ond wnaeth hi ddim. Calla' dawo, roedd hi wedi ei feddwl ar y pryd. A tasa hi wedi dweud rhywbeth, mae'n bur debyg na fyddai o wedi gwrando arni beth bynnag. Ymhen dim roedd y ddau wedi dyweddïo a phriodas yn cael ei threfnu.

'Blydi hel, oeddet ti mond yn ei nabod hi dau funud,' meddai Siôn, yn lleisio'n union beth oedd yn mynd drwy feddwl Carys.

'Doedd mam Rebeca ddim yn cîn o gwbl mod i wedi symud i fyw ati. Byw tali, fel o'dd hi'n ei alw fo. O'dd hi'n mynd ymlaen ac ymlaen am y peth efo Rebeca. Deud nad oedd o'n weddus o gwbl ein bod ni'n byw efo'n gilydd a ninnau heb ddyweddïo na dim.'

'Ffycin 'el! Pa oes ma'r ddynas yn byw ynddi?' gwaredodd Siôn. 'A dyna chdi felly'n engejio efo'r hogan. Ffycing stiwpid.' Roedd tuedd gan Siôn i siarad yn blaen ar brydiau, yn union fel ei nain. Rhy blaen.

'Taw, Siôn,' ceryddodd ei fam.

'Dwi'n gweld hynny rŵan, dydw?' cyfaddefodd Gethin.

'O'n i ddim mewn unrhyw frys mawr i briodi. Ond munud roedd y fodrwy yna ar fys Rebeca...'

'Oeddat ti'n ffwcd,' gorffennodd Siôn frawddeg ei frawd bach.

Rhythodd Carys ar Siôn.

'Ers faint w't ti wedi bod yn teimlo fel hyn? Ella mai nerfau munud ola ydi o, sdi. Holl stres y trefnu. Ma priodi'n gomitment mawr, cofia.'

'Uffar o gomitment,' ategodd Siôn.

'Ers tipyn go lew,' cyfaddefodd Gethin 'Dwi 'di bod yn trio cysuro fy hun mai nerfau ydi o ond fel o'dd heddiw'n agosáu dwi 'di bod yn teimlo mwy a mwy siŵr. Be dwi'n mynd i neud?' Roedd ei lais bron â thorri.

'Amser del i ofyn. Ti'n priodi ymhen llai nag awr,' atebodd ei frawd mawr.

Ysai Carys i Siôn gau ei hen hopran. Doedd ei sylwadau'n helpu dim ar y sefyllfa.

'Fedra'i ddim, fedra'i ddim,' ysgwydodd Gethin ei ben yn brudd a dagrau yn ei lygaid.

'O, Geth bach, tyrd yma.'

Gafaelodd Carys yn dynn yn ei mab a llenwodd ei llygaid hithau. Y peth gwaethaf yn y byd ydi gweld eich plentyn yn torri ei galon a chithau'n methu gwneud dim byd i helpu.

Clywyd cnocio gwyllt ar ddrws y stafell a llais cyfarwydd yn gweiddi, 'Carys? Mae'n well i ni fynd. Ma risepsion newydd ffonio, ma'r tacsi yma.'

Edrychodd Siôn a Carys ar ei gilydd yn wyllt. Amneidiodd Carys ar Siôn iddo fynd i agor y drws i'w nain. Agorodd yntau gil y drws yn araf.

'Be dach chi'n ei neud i mewn yn fanna? Dewch yn eich blaenau wir,' meddai Thelma'n chwyrn gan sythu cantel ei het yr un pryd.

'Ym...'

Wyddai Siôn ddim beth i'w ddweud. Syllodd arni'n fud.

'Be sy? Be sy 'di digwydd?' Roedd ei nain yn gallu synhwyro creisis o bell. Yn union fel aelod o'r M15 roedd lefelau amheuon Thelma wastad ar wyliadwriaeth uchel.

'Does 'na ddim byd wedi digwydd,' gwaeddodd Carys o'r balconi gan sychu ei dagrau a cheisio ymwroli. 'Geth sydd... Geth... Geth sydd wedi... Wedi colli'i gontact lens, dyna i gyd. Helpu fo i chwilio amdani hi ydan ni, 'de, Siôn?'

Cyrhaeddodd y drws. Nodiodd hwnnw ei ben yn wyllt gan gytuno ac edmygu dawn ei fam i allu meddwl ar ei thraed yr un pryd.

'Gadewch i mi ddod i mewn i'ch helpu chi i chwilio amdani hi, 'ta,' meddai Thelma yn stwffio ei hun i mewn i'r stafell. 'Dwi'n dda am gael hyd i betha.'

'Na!' Bu bron iawn i Carys gau'r drws yn ei hwyneb. 'Na, ylwch y peth gora ydi i chi a Siôn fynd o'n blaenau ni ac mi ddaw Geth a finnau ar eich hola chi wedyn.'

'Fysa hi ddim yn well i ni'n dwy fynd efo'n gilydd ac i Siôn a Gethin ddŵad ar ein holau ni? Y drefn fel arfer ydi i'r priodfab a'r gwas priodas ddŵad efo'i gilydd, ddim y priodfab a'i fam.' Roedd Thelma'n dechrau rhyw amau stori'r gontact lens goll erbyn hyn. Ddim ddoe y cafodd hi ei geni. O, naci.

'Dach chi'n swnio fel Meira rŵan. Pa wahaniaeth 'neith o? Ma Siôn 'ma'n hoples am gael hyd i betha. Fydda'i ddim eiliad yn cael hyd i'r lens. Siôn, ordra dacsi i Geth a finna, 'nei di plis?'

'Ti'n siŵr?' gofynnodd hwnnw'n amheus.

Oedd pwynt ordro tacsi? Oedd pwynt iddo fo a'i nain fynd i'r briodas a hithau'n berffaith amlwg nad oedd honno bellach am ddigwydd? Oni bai, hynny ydi, drwy ryw ryfeddol wyrth y gallai ei fam lwyddo i berswadio Gethin i newid ei feddwl, ond roedd cymaint o obaith i hynny ddigwydd ag oedd yna i Bruce a Kris Jenner ailbriodi.

'Yndw, yndw, rŵan cerwch. Fydd Geth a finna ddim yn hir ar eich hola chi,' meddai Carys yn gadarn gan wthio Siôn drwy'r drws at ei nain.

Caeodd y drws ar eu holau. Rhoddodd ochenaid ddofn. Camodd allan yn ôl ar y balconi ac eistedd i lawr wrth ochr ei mab. Gafaelodd yn dynn yn ei law.

'Wyt ti'n siŵr dwyt ti ddim isio priodi Rebeca?' gofynnodd yn ddifrifol.

Nodiodd Gethin ei ben.

'Wyt ti'n berffaith siŵr?'

'Yr hoelen ola, dwi'n meddwl, oedd pan nath hi ddechrau ca'l strancs a sterics ynglŷn â'r tywydd. Deud na fysa hi ddim yn priodi tasa hi'n bwrw glaw. Ti'n cofio fi'n ffonio chdi i ddeud?'

'Yndw.'

''Nes i sylweddoli adeg hynny mai'r briodas oedd yn bwysig i Rebeca. Dim y fi. Y ni. A dyma fo'n fy nharo i nad o'n innau rili isio ei phriodi hithau. Bwrw glaw neu beidio... Sori, Mam.'

'Sori? Sori am be, dŵa?'

'Am eich llusgo chi gyd draw 'ma. I ddim byd.'

'Duwcs, paid â phoeni am betha fel'na. Dim ots siŵr. Well dy fod ti wedi ffeindio allan rŵan, tydi? Cyn i ti gomitio.'

Ceisiodd wenu'n gysurlon ar ei mab. Er, beth oedd o ddifri yn mynd drwy ei meddwl hi oedd biti ar y diawl na fyddai o wedi ffeindio allan wythnosau os nad misoedd cyn rŵan. Byddai ei chyfri banc tipyn iachach yn un peth. Ond ar y llaw arall, fyddai hi ddim wedi cyfarfod John Gareth oni bai am y briodas. Cododd Carys ar ei thraed.

'Reit, gwisga amdanat.'

Edrychodd Gethin arni'n syn.

'Ti'n bwriadu deud wrth yr hogan yn dy drôns? Dwi'n gwbod fydd o ddim yn hawdd ond y peth lleia fedri di neud ydi deud wrth Rebeca wyneb yn wyneb. Rŵan, ty'd yn dy flaen.'

Cynta'n byd y cawn ni hyn drosodd y gorau, meddyliodd. Dim ond gobeithio nad oedd Rebeca a Iestyn wedi gadael y gwesty am y clwysty'n barod.

WEIARS WEDI'U CROESI

DAMNIODD CARYS FOD gwesty Rebeca mor bell. Er mai cwta ddeg munud oedd hi mewn tacsi i Sant'Agnello, roedd y daith yn teimlo fel awr. Ofnai'n fawr fod Iestyn a Rebeca eisoes wedi gadael. Byddai hynny'n gachfa go iawn. Eisteddodd Gethin a hithau yn y sedd gefn heb yngan gair. Meddyliodd y byddai wedi bod yn well tasa hi wedi mynd draw'n syth i'r clwysty ond pan welodd fod Gethin yn dechrau simsanu ynglŷn â mynd i weld Rebeca, penderfynodd fynd efo fo'n gefn. Gallai adael yn syth ar ôl gwneud yn siŵr fod Gethin yn gweld ei ddyweddi. Gyda chalon drom sylweddolodd mai hi, beryg, a fyddai'n gorfod torri'r newyddion wrth y criw disgwylgar yn y clwysty. Er, fe allai hi ffonio Siôn a gofyn iddo fo ddweud wrth y trefnydd priodas ac i honno ddatgan wrth bawb, meddyliodd fel roedd y tacsi'n parcio o flaen y gwesty. Na, gwell iddi hi ddweud wrth y trefnydd, meddyliodd wedyn neu Duw a ŵyr be fyddai Siôn wedi'i ddweud wrthi.

Rhyw feddyliau fel hyn oedd yn rasio drwy ben Carys pan welodd hi Rebeca a Iestyn yn camu allan o'r gwesty i gyfeiriad y car priodas. Cymerodd Carys anadl fawr. Waw, welodd hi erioed briodferch dlysach. Roedd hi'n bictiwr, chwarae teg. Yn union fel petai wedi camu oddi ar dudalen flaen magasîn *Brides*, ddim llai.

Wrth weld Iestyn yn straffaglu i gario godre'r ffrog a'r fêl hir, suddodd ei chalon, gwyddai y byddai geiriau Gethin yn chwalu'r llun perffaith. Edrychodd draw ar ei wyneb gwelw.

Roedd golwg arno fel tasa fo am chwydu unrhyw funud. Gwasgodd Carys ei law yn gysurlon cyn i'r ddau ddod allan o'r tacsi.

Cyn i Rebeca a'i llysdad ddiflannu i mewn i'r Bentley gwyn, roedd y ffotograffydd yn awyddus i dynnu ychydig o luniau o'r ddau. Wrth i Rebeca a Iestyn droi i wynebu'r camera gwelodd y ddau Carys a Gethin yn camu'n brudd tuag atynt.

'Beth yffach y'ch chi'ch dau'n neud 'ma?' gofynnodd Iestyn yn ddryslyd. 'Beth sy'n mynd mlân?'

'Gawn ni fynd i rwla i siarad, plis, Rebeca?' meddai Gethin yn gryg.

'Beth sy'n mynd mlân?' gofynnodd Iestyn eto.

'Plis, Rebeca...' erfyniodd Gethin wedyn.

Heb yngan gair pasiodd Rebeca ei thusw o flodau i Iestyn. A heb ddangos unrhyw fath o emosiwn, dilynodd Gethin i mewn i'r gwesty.

Doedd Carys ddim wedi disgwyl iddi ymateb fel hyn. Roedd hi'n disgwyl o leia sterics a thantrym yn y fan a'r lle, nid y distawrwydd a'r diffyg ymateb yma. Roedd y beth bach mewn sioc yn amlwg. Gwell i Iestyn aros efo hi hyd nes i Meira gyrraedd i'w chysuro. Cynta'n byd y byddai'n cyrraedd y clwysty, y gorau.

'Beth sy'n mynd mlân?' gofynnodd Iestyn am y trydydd tro. Er bod y dyn yn lled amau pwrpas ymweliad Gethin bellach, roedd o angen ei glywed ar goedd.

'Fydd 'na ddim priodas ma arna i ofn,' meddai Carys yn ymddiheugar gan gadarnhau ei amheuon yn syth.

'O'r mawredd,' ebychodd hwnnw gan ysgwyd ei ben yn drist.

'Well i ti aros yma efo Rebeca, dwi'n meddwl. Af innau draw i'r clwysty i ddeud...'

Nodiodd ei ben yn gytûn, yn diolch i Dduw nad y fo oedd yn gorfod torri'r newydd i Meira.

Gadawodd Carys Iestyn a cherdded i gyfeiriad mynediad y gwesty. Doedd dim golwg o'r tacsi. Suddodd ei chalon. Yn eu brys i ddal Iestyn a Rebeca cyn iddynt adael, roedd Carys wedi anghofio gofyn i'r gyrrwr aros amdani. Beth yn y byd mawr oedd hi'n mynd i wneud rŵan? Doedd dim amser i'w golli. Roedd rhaid iddi gyrraedd y clwysty a hynny ar frys. Gallai ddisgwyl hydoedd am dacsi ac roedd yn rhy bell iddi gerdded. Yna llygadodd y Bentley crand oedd bellach yn ridyndant.

Yn y cyfamser draw yn y clwysty roedd pethau'n poethi'n llythrennol.

'Wanwl, ma hi'n boeth,' cwynodd Thelma gan duchan yn uchel a ffanio ei hun yn wyllt efo'i chopi o drefn y gwasanaeth.

Doedd 'na ddim sens cynnal priodas allan yng ngwres yr haul fel hyn, meddyliodd yn gwywo. Mewn capel neu eglwys y dylid cynnal gwasanaeth priodas siŵr. Roedd llefydd felly wastad yn cŵl braf. Roedd ei sedd yn llygaid yr haul. Er ei bod hi'n tynnu at ddiwedd y prynhawn, roedd hi'n dal yn boeth. Roedd hi'n chwys domen dail ac yn sychedig. Roedd ei cheg fel cesail camel. Ysai i dynnu ei siaced. Falla y byddai'n rhaid iddi yn y munud, *bingo wings* neu beidio. Roedd hi wedi bwriadu dod â photel fach o ddŵr efo hi ond rhwng cael ei hel yn ddisymwth am y tacsi efo Siôn roedd y botel yn dal wrth ochr ei gwely. Roedd rhywbeth ynglŷn â'r stori colli contact lens ddim yn dal dŵr. Beth yn union oedd yn mynd ymlaen? Tapiodd Siôn, oedd yn eistedd o'i blaen, ar ei ysgwydd. Trodd hwnnw rownd i wynebu ei nain. Roedd golwg ar bigau'r drain arno.

'Ers pryd ma Gethin yn gwisgo contact lensys?' gofynnodd cyfnither Sherlock Holmes. 'Wyddwn i ddim ei fod o'n gwisgo rhai. Oeddat ti, Medwyn?' trodd at hwnnw oedd yn eistedd yn ei hymyl.

'Na wyddwn i,' medda hwnnw yn hanner gwrando ac yn rhy brysur yn syllu'n llawn edmygedd ar goesau siapus Antonia, y trefnydd priodas, oedd yn cyfarch pawb wrth y fynedfa. Roedd honno ar binnau gan edrych ar ei wats pob dwy funud. Roedd ganddynt amserlen dynn i gadw ati ac roedd y priodfab yn hwyr fel oedd hi. Roedd Llinos yn gaeth i'w ffôn, yn brysur yn diweddaru ei lluniau ar Instagram.

'Ym... y... Ddim ers lot. Dyna pam ma o'n eu colli nhw o hyd,' atebodd Siôn gan feddwl am y peth cyntaf ddaeth i'w ben. Roedd nerfau'r creadur yn racs. Beth oedd hanes Gethin bellach? Oedd o'n dal i eistedd ar y balconi yn ei drôns, 'ta be?

'Mm...' meddai Thelma yn amheus, yn edrych ar ei wats ac yna i gyfeiriad y fynedfa. 'Well iddo fo a dy fam afal ynddi, neu mi fydd yr hogan fach 'na yma o'i flaen o. Ow, watsh owt. Dyma hi. Ma'r Cwîn Myddyr 'di landio. '

Hwyliodd Meira Lloyd Jenkins i mewn i'r clwysty yn ei shiffon *oyster* pinc. Bu am hydoedd yn cyrraedd ei sedd gan ei bod yn mynnu stopio i siarad efo hwn a'r llall. Roedd llond dwrn o ffrindiau Meira a Iestyn wedi cael gwahoddiad i'r briodas ynghyd â rhai o ffrindiau pennaf Gethin a Rebeca. Ymhyfrydai Meira Lloyd Jenkins yn y foment, gan gyfarch yn union fel Camilla Parker Bowles ar wâc abowt. Sleifiodd Greta heibio iddi'n dinfain. Roedd hi a Sisial fach wedi cael y fraint o rannu car efo Meira i'r clwysty. Roedd wedi gadael Sisial, oedd wedi cynhyrfu'n bot ac yn edrych ymlaen yn fawr i'w rôl fel morwyn briodas, wrth y fynedfa yn nwylo diogel Antonia.

Tra bu Rebeca a Meira yn paratoi yn y gwesty bu cryn

dynnu lluniau ac yfed Prosecco. O ganlyniad, roedd yr hen Meira yn reit meri ond sobrodd drwyddi a gwnaeth ddybl têc os nad trydydd un, pan sylwodd ar y sedd wag wrth ochr y gwas priodas.

'Ble ma fe? Ble ma Gethin?' sibrydodd yn uchel wrth Siôn a'i bwnio'n galed yr un pryd.

'Mae o wedi colli ei gontact lens. Meddan nhw,' meddai Thelma cyn i Siôn gael cyfle i agor ei geg.

'Beth?' Ebychodd Meira'n syn.

'Mae o a Carys yn chwilio am ei gontact lens,' meddai wedyn, gan bletio ei cheg i ddangos nad oedd hi'n credu'r stori.

'Ers pryd ma fe'n gwisgo contact lensys?'

'Dyna ofynnis innau hefyd,' ategodd Thelma.

Trodd y ddwy eu pennau yr un pryd gan syllu'n amheus ar Siôn.

'Beth sy'n mynd mlân, Siôn?' gofynnodd Meira iddo'n gyhuddgar.

'Wel, wel, ylwch pwy sy 'di landio!' ebychodd Thelma'n uchel cyn i Siôn orfod ateb. Roedd rhywun arall wedi cymryd ei sylw'n amlwg.

Trodd pawb eu pennau fel un i weld tad y briodferch yn cerdded i lawr y llwybr.

'Oi! Dwi isio gair efo chdi,' llarpiodd Thelma ar John Gareth cyn iddo gyrraedd ei sedd.

Edrychodd arni'n ddryslyd. 'Ma'n flin 'da fi ond sai'n siŵr...?'

'O na, washi, y fi sy'n flin. Blin iawn, dallta.'

Gwenodd John Gareth yn wan gan roi ei ben i lawr yn wylaidd.

'O, ma Carys wedi gweud 'tho chi, 'te...'

'O, do. Ma hi wedi deud. Mi ddeudodd hi wrtha fi cyn i ni fynd am swper neithiwr. O'n i'n methu coelio'r peth!'

'Drychwch, sai'n credu taw nawr yw'r lle na'r amser… o fla'n pawb,' sibrydodd wrthi gan edrych o'i gwmpas.

'Tw reit,' meddai Siôn fel bwled oedd newydd sylweddoli bod yna weiars wedi'u croesi'n ddiawledig yn rhywle rhwng ei nain a John Gareth. 'Ylwch, ella 'sa'n well i ni…'

'Cywilydd sgin ti, ia?' Torrodd Thelma ar ei draws. 'Ofn i bawb yn fyma ddod i wbod be 'nest ti?'

'Na. Sdim cywilydd 'da fi, ddim unrhyw gywilydd o gwbwl,' atebodd John Gareth yn amddiffynnol. 'Pam ddylen i deimlo cywilydd am beth ddigwyddodd?'

'Wel, mi ddyla fod gen ti! Oedd o'n beth cwbl anghyfrifol be 'nest di!' Roedd Thelma yn dechrau mynd i stêm erbyn hyn a'i llais yn codi efo pob sill.

'Ges i sioc. Do. Ond wir i chi nawr, 'sen i'n gwbod bryd hynny bo Carys yn dishgwl…'

Distawrwydd.

Distawrwydd llethol.

Chlywyd y clwysty erioed mor dawel. Ddim hyd yn oed pan oedd y mynachod yn byw yno. Allech chi fod wedi clywed gwybedyn yn taro rhech. Ond wedi'r tawelwch, elwch fu.

'Be ddeudist ti?' Ebychodd Thelma mewn anghrediniaeth lwyr.

'O, shit,' griddfanodd Siôn a rhoi ei ben yn ei ddwylo. Roedd y cachu am hitio'r ffan go iawn rŵan, meddyliodd. A'i chwalu fo i'r pedwar gwynt hefyd.

Roedd y datganiad wedi achosi i hyd yn oed Llinos godi ei phen o'i ffôn.

'Beth?' sibrydodd Meira a gwedd honno bellach yr un lliw â'i ffrog *oyster* pinc.

Edrychodd Medwyn a Llinos ar ei gilydd yn gegrwth.

'Ond... Ond o'n i'n meddwl bod Carys wedi gweud 'tho chi?' meddai John Gareth yn sylweddoli'n raddol ei fod wedi rhoi ei droed ynddi go iawn.

'Y chdi ydi tad hwn?' meddai Thelma wrtho fo am Siôn. Waeth tasa fo wedi cyhoeddi mai fo oedd tad Iesu Grist ddim.

'Mrs Lloyd Jenkins? Please, come with me. Now, please.'

Tarfwyd ar y dadleniad mawr gan lais merch ag acen Eidaleg dew.

Trodd pawb eu gorwelion i edrych ar berchennog y llais. Safai Antonia, y trefnydd priodas, gerllaw a golwg wedi styrbio'n lân ar y graduras. A hithau wedi bod yn gwneud y gwaith yma ers dros bymtheg mlynedd a mwy, hwn oedd y tro cyntaf i hunllef pob trefnydd priodas ddigwydd iddi hi.

Roedd hi wedi bod yn sefyll tu allan i'r clwysty ar binnau ers meitin. Hira'n byd y safai yno, mwya'n byd roedd hi'n cael yr hen deimlad annifyr hwnnw yn ei dŵr nad oedd pethau'n argoeli yn rhyw dda iawn. Doedd dal ddim golwg o'r priodfab.

Ymhen hir a hwyr, tynnodd y car priodas i fyny o flaen y clwysty. Roedd hi ar fin dweud wrth y dreifar am fynd rownd y bloc unwaith neu ddwy eto, gan obeithio y byddai Gethin wedi cyrraedd erbyn hynny, pan sylweddolodd pwy oedd yn eistedd yn y sedd gefn. Yn hytrach na'r briodferch a'i llysdad pwy eisteddai yno ond neb llai na mam y priodfab. Beth ar wyneb y ddaear oedd yn mynd ymlaen?

Camodd Carys allan o'r car yn wyllt ac roedd yr olwg ar ei hwyneb yn dweud y cwbl. Suddodd calon Antonia a rhoddodd ei bol dro. Gwyddai fod heddiw yn mynd i fod yn un o ddiwrnodau anoddaf ei gyrfa.

Synhwyrodd Meira Lloyd Jenkins yn syth fod rhywbeth mawr o'i le. Dilynodd y trefnydd priodas yn fân ac yn fuan allan o'r clwysty.

'What's going on? What's happened?' gofynnodd yn wyllt wrth i'r ddwy gerdded tua'r fynedfa. Rasiai pob mathau o senarios hyll drwy ei meddwl. Oedd Rebeca a Iestyn wedi cael damwain car ar y ffordd? Oedd Iestyn wedi cael ei daro'n wael? Gwyddai fod ei bwysau gwaed yn lot rhy uchel, bwyta gormod o gaws oedd y drwg, doedd dim iws iddi ddweud wrtho. Rhewodd yn ei stiletos pan welodd Carys yn sefyll tu allan yn gafael yn llaw Sisial. Roedd ceg gam fawr gan y fechan. Gwyddai o wyneb ei nain hefyd fod rhywbeth mawr o'i le.

'Ble ma'n nhw? Ble ma Rebeca? Beth sy wedi digwydd?' gofynnodd yn ffrantig.

'Yli, Meira,' llyncodd Carys ei phoer yn galed. 'Does 'na ddim byd wedi digwydd i Rebeca, na Iestyn. Ma'r ddau'n iawn.'

'Beth yffach sy'n mynd mlân, 'te? A ble yffach ma Gethin? Ddyle fe fod 'ma nawr! Odi fe'n olréit? O's rhwbeth wedi digwydd iddo fe?'

'Well i ti fynd yn ôl i'r gwesty, dwi'n meddwl. Mi fydd Rebeca angen ei mam,' meddai Carys yn dawel.

'Pam? Beth sydd 'di digwydd?'

'Fydd 'na ddim priodas, ma arna i ofn.'

'Beth? Pam?' Yna gwawriodd ar Meira. 'Y fe? Dy grwt di?'

Roedd hi'n arferiad erstalwm i saethu'r negesydd oedd yn danfon newyddion drwg. Tasa gan Meira Lloyd Jenkins wn yn ei handbag *oyster* pinc y funud honno byddai Carys yn ddiamau wedi cael bwled yn ei phen.

'Well i ti fynd at Rebeca,' pwysodd Carys drachefn.

'Go, Mrs Jenkins, go to your daughter. We'll sort everything here,' meddai Antonia'n gadarn gan dywys Meira i mewn i'r Bentley.

Am y tro cyntaf yn ei bywyd, gadawodd Meira i rywun arall gymryd yr awenau. Aeth i mewn i'r car yn fud. Gwyliodd Carys y car priodas yn cychwyn ac yn gyrru i ffwrdd i gyfeiriad y gwesty. Rhoddodd ochenaid ddofn a chamodd i mewn i'r clwysty.

Ddychmygodd hi erioed y byddai'n gweld y fath olygfa. Yn y tu blaen roedd Medwyn, Llinos a John Gareth wedi ymgasglu o gwmpas rhywbeth neu'i gilydd a Siôn ar ei gwrcwd. Roedd Greta'n siarad efo rhywun ar y ffôn. Sylwodd nad rhywbeth oedd o. Ond rhywun. Ei mam, a honno'n llŷg ar y llawr.

'Mam! Be sy? Be sydd wedi digwydd iddi?' gwaeddodd Carys gan ruthro draw y gorau y gallai hi yn ei sodlau.

Cododd Siôn ei ben, edrychodd ar ei fam a golwg wedi dychryn ar ei wyneb. 'Nath hi ddeud nad oedd hi'n teimlo'n dda a nath hi jyst colapsio. Ma'r ambiwlans ar ei ffordd.'

DEWCH O 'MA Y FFOR GYNTA

Eisteddai CARYS AR un o'r cadeiriau plastig caled yn ystafell aros yr ysbyty. Edrychodd o'i chwmpas. Doedd hi'n deall yr un gair oedd ar y posteri ac ati ar y wal. Caeodd ei llygaid ac ochneidio'n ddwfn. Roedd heddiw wedi bod yn gatastroffi o ddiwrnod. Roedd Gethin yn canslo'r briodas yn ddigon drwg a rŵan, i goroni'r cwbl, roedd ei mam yn yr ysbyty mewn gwlad estron. Roedd y sioc o glywed mai John Gareth oedd tad Siôn yn amlwg yn ormod iddi. Roedd hi wedi cael yr hanes i gyd gan Siôn yn yr ambiwlans.

''Na chdi,' pasiodd Siôn y gwpan blastig oedd yn llawn te i'w fam. Ar ôl bod yn gwijiad am oes am unrhyw newydd am Thelma roedd Siôn wedi mynd i chwilio am baned i'r ddau.

'Diolch,' meddai Carys yn werthfawrogol. Sipiodd y te llugoer. Tynnodd wyneb. Nid yn unig doedd o ddim yn boeth, roedd o hefyd yn wan ac yn felys. Ers pryd roedd hi'n cymryd siwgr yn ei the?

'Ma 'na siwgr yn hwn.'

Doedd hi ddim yn un i gwyno fel arfer, yn wahanol iawn i'w mam.

'Oes, dwy lwyaid. Peth da at sioc, meddan nhw,' gwenodd Siôn arni'n gysurlon. 'Yfa fo.'

Gorfodd Carys ei hun i yfed y te piso dryw melys.

'Dal ddim golwg o neb?' holodd gan amneidio i gyfeiriad y drysau lle y cludwyd Thelma'n anymwybodol dros awr yn ôl bellach.

Ysgydwodd Carys ei phen. 'Dim ydi dim, yli. W't ti wedi clywed rhwbath gan Geth? Ydi o wedi tecstio chdi'n ôl eto?'

Ysgydwodd ei ben. Roedd y ddau ohonynt wedi'i decstio fo i holi lle roedd o, ac yn bwysicach, i jecio a oedd o'n iawn. Er i Siôn anfon tecst arall yn ddiweddarach i ddweud fod ei nain yn yr ysbyty roedd Gethin yn dal heb ymateb i'r un o'r negeseuon.

'Ma siŵr ei fod o ar bendar yn rhwla. Dyna 'swn i'n ei neud taswn i'n ei sgidia fo.'

'Ia, mwn,' ochneidiodd Carys. Gallai ddychmygu nad oedd Rebeca wedi cymryd y newydd yn dda iawn o gwbl. Gallai feddwl hefyd fod Gethin yn teimlo'n ofnadwy ar ôl dweud wrthi. Doedd dim asgwrn annifyr yn perthyn iddo. Un annwyl iawn dros ben oedd Gethin.

Ond ar y funud honno roedd ganddi ddigon i boeni amdano heb fynd i boeni amdano fo hefyd. Rhwbiodd ei harlais. Roedd ganddi gur yn ei phen erbyn hyn.

Er fod angen dos dda o ras ac amynedd yn aml ar y diawl efo'i mam, eto i gyd roedd gwaed yn dewach na dŵr. Doedd hi ddim am ei gweld hi'n wael am bris yn y byd. Ei mam hi oedd hi'n y diwedd a'r unig fam oedd ganddi. Ond beth tasa hi wedi cael trawiad, neu strôc? Un angheuol? Cofiodd fod Thelma wedi dweud wrthi ar y ffôn, cyn iddyn nhw fynd am Sorrento, nad oedd hi'n siŵr a oedd hi'n teimlo ddigon da i fynd. Soniodd iddi fod yn y lle chwech dair gwaith y bore hwnnw ac roedd ganddi gnoi mawr. Falla ei fod o'n fwy na cachu planciau am fflio i Sorrento. A beth am y sâl môr 'na wedyn? Falla nad sâl môr oedd ei mam ond ei fod o'n arwydd o ryw salwch arall? Beth tasa fo'n arwydd o rywbeth sinistr? Gwaeledd mawr? Canser? Roedd dychymyg Carys yn drên bellach.

Yn sydyn agorodd y drws i'r adran gofal brys, a throdd y ddau eu pennau'n syth i gyfeiriad y drws. Pwy oedd yn cerdded yn dalog i'w cyfeiriad efo wyneb tin arni, ond Thelma. Wyneb tin neu beidio, fuodd Carys erioed mor falch o'i gweld. Rhuthrodd at ei mam a'i chofleidio'n dynn. Diolch byth ei bod hi'n iawn. Roedd hi'n meddwl yn siŵr fod y diwedd wedi dod i'w mam ond dyma hi'n gwneud dynwarediad tan gamp o Lasarus.

'O diolch i Dduw eich bod chi'n iawn, Mam fach. Be ddigwyddodd?' gofynnodd yn llawn consýrn.

'Dewch o 'ma y ffor gynta wir Dduw,' datganodd Thelma'n flin. 'Ma'r ffernols isio 'nghadw fi mewn dros nos. Gawn nhw fynd i ganu. Doctors! Hy! Be ma'r tacla hynny'n ei ddallt?'

'Be? Dach chi rioed wedi seinio eich hun allan?'

Ceisiai Carys ei gorau glas i ddal i fyny efo camau breision ei mam oedd yn anelu am yr allanfa.

'Duwcs, does 'na ddim byd yn bod efo fi. Dim ond ffeintio 'nes i. Wedi cael dipyn bach o synstroc, dyna i gyd.'

'Synstroc?'

'Ista am hydoedd yn y blincin haul 'na heb gysgod na dim 'nes i, 'te. Digon amdan unrhyw un. Un funud o'n i'n ca'l ar ddallt mai Gareth oedd tad yr hen 'ogyn 'ma, a'r munud nesa aeth bob man yn ddu. Y peth nesa dwi'n ei gofio ydi dod ataf fi fy hun yn yr ambiwlans 'na. Ond ddeudes i'n strêt wrth y doctor bach, wyddoch chi fod ei gefnder o'n cadw caffi yn stryd fawr Bangor? Wir i chi, byd bach, 'te? Ta waeth am hynny, ddeudes i wrtho fo: *You can keep your drip thank you very much. I'm flying home tomorrow and no way am I missing my flight. I'll go straight to bed now and drink lots of water and I'll be right as rain.* A beth bynnag ma gin i lot fawr o waith dal i fyny. Nath Gethin bach briodi'r Rebeca 'na, 'ta be? Ac yn bwysicach, dwi isio gwbod mwy amdanat ti a'i thad hi. Fo ydi tad yr hen 'ogyn 'ma hefyd felly?'

'Hei, ma gin yr hen 'ogyn 'ma enw, 'chi, Nain,' meddai Siôn yn ôl yn bigog. Hwn oedd y tro cyntaf yn ei fywyd iddo droi ar ei nain am iddi gyfeirio ato fel yr hen 'ogyn 'na.

Syllodd honno arno efo'i llygaid pinnau bach brown. Daeth arlliw lleiaf o wên ar ei hwyneb lleiniog. 'Oes, fy ngwas i. A ma gin ti dad hefyd o'r diwedd, er 'dio'm ffit i hwylio cychod chwaith.'

JYST RHYW FERCH

A R ÔL I'R tri gyrraedd yn ôl i'r gwesty aeth Thelma a Carys
yn syth i fyny i'w stafell. Er ei holl frafado ynghynt yn
yr ysbyty, yn dawel bach daliai Thelma i deimlo'n ddigon
rhyw legach a gwanllyd. Ond llegach neu beidio, dim ffiars
o beryg oedd hi'n bwriadu colli'r ffleit adref y diwrnod
wedyn.

Newidiodd Carys amdani a gwisgodd dop a throwsus
ysgafn yn lle'r ffrog dynn a'r sodlau. Tynnodd y *fascinator* a
oedd drwy ryw ryfeddol wyrth wedi bod ar ei phen drwy'r
holl amser. Lluchiodd y plu i'r bin yn ddiseremoni. Ordrodd
club sandwich i'r ddwy a phowlaid o tships i rannu. Roedd y
ddwy bellach ar eu cythlwng. Bu'n rhaid iddi wedyn ddioddef
dros hanner awr a mwy o interegesion gan ei mam ynglŷn â
John Gareth. Pan ddalltodd ei reswm dros beidio â chysylltu,
er mawr syndod, roedd hi'n gydymdeimladol ryfeddol ac yn
derbyn y rheswm yn ddigwestiwn.

Oherwydd sawl tro roedd rhaid ffonio am blymar i
ddadflocio washer y *twin tub* yn Nhyddyn Bach. Yn aml iawn
roedd 'na hoelen neu ddarn o weiran a hyd yn oed, un tro,
sgriwdreifar wedi cael eu gadael ym mhoced ôl trowsus
Dafydd Owen ac wedi ffeindio'u ffordd i ymysgaroedd y
golchwr. Fel mam John Gareth, un o gas bethau Thelma
hefyd oedd gwagio pocedi trowsusau.

A'r ôl cau'r llenni a gwneud yn siŵr fod ei mam wedi yfed
gwydriad mawr arall o ddŵr, aeth Carys i lawr i'r bar i ymuno

efo Siôn, Greta a Sisial er mwyn i Thelma gael llonydd i orffwys a chysgu.

Roedd y fechan yn dal efo wyneb milps arni. Roedd canslo'r briodas wedi bod cynddrwg â chanslo Dolig i Sisial fach. Methai'n lân â deall pam nad oedd Gethin a Rebeca yn mynd i briodi bellach. Doedd hi ddim yn hawdd iawn esbonio i ferch fach pump a hanner oed pam fod Gethin wedi newid ei feddwl. Fel protest, gwrthodai'n lân â newid o'i ffrog.

'Gadwch lonydd i'r beth bach, waeth iddi gael iws ohoni hi ddim.' Roedd Carys wedi'i ddweud wrth Siôn a Greta ar ôl i'r ddau fethu'n deg â'i pherswadio i'w thynnu.

Doedd dal ddim siw na miw o Gethin chwaith er i Carys a Siôn ffonio a thecstio ei fobeil sawl gwaith. Roedd yn mynd yn syth i'r peiriant ateb bob tro.

'Be tasa fo ar ei hyd ar lawr mewn rhyw gwter yn rhwla, Siôn? Be tasa fo wedi yfed ei hun i ebargofiant a'i fod o wedi colapsio yn rhwla?' Roedd Carys yn dechrau panicio erbyn hyn. Doedd o ddim fel Gethin i beidio â chysylltu'n ôl. Mae'n rhaid bod rhywbeth wedi digwydd iddo. Rhywbeth mawr hefyd. Teimlai'n sâl yn ei bol ac er iddi gymryd dwy barasetamol yn gynharach roedd ei phen yn drybowndian. 'Fysa well i ni ffonio'r polîs, dŵa?' meddai wedyn.

'Isio llonydd mae o beryg, sdi,' meddai Siôn yn trio ei orau glas i gysuro ei fam ond yn meddwl yr un pryd, beth haru'r twat bach yn peidio â chysylltu'n ôl a gwneud i'w fam boeni i'r fath raddau? I feddwl ei fod o hefyd wedi gwastraffu'r holl fore yn sgwennu *speech*.

'Ia, isio llonydd mae o,' cytunodd Greta'n ddifrifol. 'Llonydd i roi trefn ar ei feddyliau. Mae o wedi bod yn ddewr iawn.'

'Dewr?' cwestiynodd Carys.

'Ia, mae o wedi dilyn ei galon a'i wir deimladau heddiw,

a ma hynny'n cymryd dewrder mawr,' esboniodd Greta'n ddwys. 'Ond fedrith rhywun ddim anwybyddu ei lais mewnol, ti'n gweld.'

'Fedrith rhywun ddim anwybyddu galwadau ffôn a tecsts, chwaith,' atebodd Carys yn big.

'Ella bod batri ei ffôn o'n fflat,' awgrymodd Greta wedyn. 'Sisial, fy nghariad i, gad lonydd i'r blodau tlws yna plis. 'Na ferch dda,' gwenodd yn glên ar ei merch fach oedd yn cael hwyl drybeilig yn tynnu petalau'r lilis a'r rhosod oedd wedi'u gosod yn fendigedig mewn fas anferth ar y bwrdd gerllaw.

'Ond fedra'i ddim ista'n fyma yn poeni'n enaid. Fysa well i ni fynd i chwilio amdano fo, dwch?' pwysodd Carys.

'Ond lle fysan ni'n dechrau chwilio, Mam fach? Dim Llangefni ydi fyma, sdi. Ma 'na ddegau ar ddegau o fariau yma.'

'Ma Siôn yn iawn,' clywodd lais cyfarwydd y tu ôl iddi. Llyncodd Carys ei phoer a throi rownd. Yn sefyll o'i blaen roedd John Gareth.

'Be ti'n neud yma?' meddai hi wrtho fo'n oeraidd. 'Mi wyt ti a dy hen geg fawr wedi achosi digon o helynt am un diwrnod. O'dd raid i ti ddeud o flaen pawb fel'na?'

'Wir i ti, dim 'na beth o'dd fy mwriad i o gwbwl. Gymres i fod dy fam yn gwbod.'

'Wrth gwrs doedd hi ddim yn gwbod! Ddeudes i y bysan ni'n siarad yn y briodas.'

'Wel fysach chi wedi ca'l uffar o drafferth felly, basach, a honno ddim wedi digwydd,' torrodd Siôn ar eu traws.

'Shwt ma dy fam? Wy wedi bod yn becso'n ofnadwy... becso bod y sioc yn ormod iddi.'

'Ma Mam rêl boi. Synstroc gafodd hi,' meddai Carys wrtho'n sych. Ddim ar chwarae bach roedd hi'n mynd i faddau i John

Gareth am ollwng y gath allan o'r cwd. Camddealltwriaeth neu beidio.

'O, diolch i Dduw am 'nny.' Roedd y rhyddhad yn amlwg ar ei wyneb. 'Hynny yw, diolch i Dduw taw dim ond synstroc o'dd e. O'n i ddim moyn bod yn gyfrifol am roi sioc farwol i unrhyw un. Odi hi dal yn y sbyty?'

'Nacdi, ma hi'n gorffwys yn ei gwely.'

'Pam ma'r dyn 'ma'n siarad yn ffyni? Pwy ydi o?' meddai rhyw lais bach o du ôl i'r fas.

Edrychodd Carys, John Gareth a Siôn ar ei gilydd.

Crafodd John Gareth ei wddf ac aeth ar ei gwrcwd o flaen y fechan ac estyn ei law allan iddi.

'Fi yw dy dad-cu di. Neu taid fel ti'n weud. Braf iawn cwrdd â ti eto, Sisial,' gwenodd yn annwyl ar ei wyres.

Derbyniodd y llaw fach ei law gadarn yntau. Er ei gwaethaf, daeth lwmp i wddf Carys wrth weld y fechan efo'i thaid.

'Awn ni fyny, ia, Sion? Mae'n amser gwely i Sisial,' amneidiodd Greta ar ei phartner.

Gwyddai Carys ei bod hi lot rhy fuan i'r fechan fynd i'w gwely. Chwarae teg i Greta am wneud esgus iddyn nhw'll tri adael er mwyn rhoi cyfle iddi hi a John Gareth fod ar eu pennau'u hunain.

'Sut wyt ti'n daid i fi? Ti ddim wedi priodi efo nain fi,' meddai'r fechan wedyn yn amheus ar ôl cael amser i brosesu'r wybodaeth. Doedd hi ddim ar unrhyw frys gwyllt i fynd i'w gwely chwaith.

Fydd Mam byth farw tra bydd Sisial 'ma fyw, gwaredodd Carys. Edrychodd y pedwar oedolyn ar ei gilydd. Pwy oedd yn mynd i ddechrau ceisio esbonio pethau i'r fechan? Daeth achubiaeth i'r sefyllfa ddelicet gan lais yn gweiddi nerth esgyrn ei phen.

'Ma dy fab di wedi strywo popeth!'

Gwaeddwyd y cyhuddiad ymosodol at Carys o ddrws bar y lownj. Camodd perchen y geiriau yn fân ac yn fuan tuag at y criw. Yn union fel Robin tu ôl i Batman, roedd Iestyn. Roedd Meira yn dal yn ei *ensemble* shiffon *oyster* pinc. Ar wahân i'w het. Roedd honno wedi cael fflich. Yn wahanol iawn i'r arfer, roedd golwg ddigon anniben arni. Ei *chignon* Ffrengig yn gudynnau blêr o gwmpas ei hwyneb, ei mecyp wedi rhedeg ac ôl crio mawr arni. Roedd hi'n amlwg ei bod hi, yn ystod yr oriau diwethaf, wedi cael cysur mawr yng nghwmni potel o rywbeth neu'i gilydd. Feddyliodd Carys erioed y byddai'n teimlo dros Meira Lloyd Jenkins, ond ar yr eiliad honno, teimlai drueni mawr drosti. Gwyddai'n iawn cymaint roedd y diwrnod yma wedi ei olygu iddi. Priodas ei hunig ferch. Yr holl gynllunio, yr holl wario a'r holl edrych ymlaen. Y cwbl yn ofer. Y cwbl wedi mynd i'r gwellt.

Fel roedd hi'n agosáu at y cwmni, stopiodd Meira yn ei thracs. Edrychodd ddwywaith rhag ofn ei bod yn dechrau gweld pethau, oedd ddim yn beth afresymol i'w feddwl ar ôl yr holl jin yr oedd hi wedi'i yfed y pnawn hwnnw. Na, y fo oedd o'n bendant. Anelodd waywffon o edrychiad at Carys ac yna un arall, yr un mor giaidd, at ei chyn-ŵr.

'O, ma fe 'ma 'fyd! *Cosy* iawn. Beth chi'n ga'l, aduniad teuluol ife? O'n i'n iawn drwy'r amser, o'n i'n gwbod bo fi. O'n i wastad yn gwbod bod rhywun arall. Rhywun arall ar ei feddwl e. Pan o'dd e a fi 'da'n gilydd. Ar ôl i ni briodi hyd yn oed. Rhywun o'dd e wedi'i chyfarfod cyn fi, a'i fod e'n dal i ddyheu amdani hi.'

Roedd holl amheuon Meira ar hyd y blynyddoedd y bu'n briod â Gareth wedi'u profi'n gywir pan glywodd y dadleniad mai Gareth oedd tad Siôn. Fel y gân honno erstalwm gan

Caryl a'r Band, 'Yr Ail Feiolin', felly hefyd roedd Meira wedi teimlo ynglŷn â theimladau Gareth tuag ati. Roedd o wastad fel petai'n dal rhan ohono'i hun yn ôl. Fel tasa fo'n methu ymrwymo'n llwyr iddi. Ers y cychwyn cyntaf un, gwyddai'n iawn ei bod hi'n ei garu o yn fwy nag yr oedd o yn ei charu hi.

Oherwydd y gwir plaen amdani oedd mai ar y rîbownd oedd Gareth. Er bod sawl haf wedi mynd heibio ers y gwyliau bondigrybwyll hwnnw yn Faliraki, daliai Gareth yn y gobaith prin y byddai ffawd yn bod yn glên efo fo a Carys. Byddai'r ddau drwy ryw ryfeddol wyrth yn cyfarfod eto. Tybiai Gareth mai ei siawns orau oedd yn y Steddfod. Duwcs, doedd y rhan fwyaf o Gymry Cymraeg ifanc yn heidio yno i joio ac i chwilio am fachiad? A phan sodrodd Meira ei llygaid ar yr hogyn tal pryd golau mewn gig yn un o nosweithiau Cymdeithas yr Iaith, ychydig iawn a wyddai Gareth ei fod o'n ddyn condemnedig. Seliwyd ei dynged yn llwyr pan sylweddolodd Meira mai cyw twrnai oedd o. Er petai hi wedi cael y dewis, meddyg fyddai ei dewis cyntaf fel gŵr. Ond roedd cyfreithiwr yn ail agos, chwarae teg.

Ond ychydig ar ôl iddynt ddyweddïo, datgelodd rywbeth wrthi a arhosodd efo hi weddill y cyfnod y bu'r ddau efo'i gilydd. Rhywbeth yr oedd hi wedi'i amau'n dawel bach ers cychwyn eu perthynas.

Roedd y ddau newydd gyrraedd yn eu holau i'w fflat ar ôl parti Dolig gwaith Gareth a hwnnw wedi meddwi'n gachu rwtsh. I'w sobri fymryn, triodd Meira ei gorau i wrjo paned o goffi cryf arno, ond anwybyddu'r baned wnaeth Gareth gan bendwmpian yn braf ar y soffa, wedi cael llond craj.

'Ti mor bert, Meirs, wy rili yn ffansïo ti, ti'n gwbod 'nny?' medda fo a'i dafod yn dew. Lled-orweddai ar y soffa, ei lygaid ynghau a'i freichiau'n dynn am Meira. Closiodd Meira tuag ato, wrth ei bodd yn clywed yr holl weniaith. Tasa hi'n gath, byddai'n canu grwndi'n braf yn ei gesail.

'Ti mor debyg iddi, ti'n gwbod?'

Fyddai hi ddim wedi symud i ffwrdd ddim cynt tasa hi wedi cael sioc lectrig i fyny'i thin.

'Tebyg i bwy?' meddai fel bwled. 'I bwy odw i'n debyg?'

Agorodd Gareth ei lygaid. Hyd yn oed yn ei feddwdod roedd yn sylweddoli ei fod wedi rhoi ei seis neins ynddi go iawn.

'Pwy ydw i'n dy atgoffa di ohoni, Gareth?' Pwysodd drachefn a'i chalon yn drybowndian.

Dechreuodd factracio fel y diawl.

'Ym... neb.'

'Neb?' Cwestiynodd Meira, ei gwep yn dangos yn glir nad oedd hi'n ei goelio. 'Pwy ydw i'n debyg iddi?'

Petai Gareth yn sobr, byddai wedi gallu meddwl ar ei draed ac wedi palu celwyddau gan ddweud bod Meira yn ei atgoffa o ryw actores neu gantores enwog. Dyna fyddai dyn call a sobor wedi'i ddweud. Ond ddaru o ddim. Yn hytrach, dyma fo'n dweud wrthi,

'Jyst rhyw ferch wnes i gyfarfod ar wylie pan o'n i'n coleg. Ti'n fy atgoffa i ohoni hi weithiau. Yr un lliw a steil gwallt. Er, o'dd hi lot llai na ti.'

Llai o ran taldra roedd Gareth yn ei olygu ond camddalltodd Meira'n syth gan feddwl mai cyfeirio at bwysau'r ddwy oedd o. Yn dilyn y sylw hwnnw bu Meira ar ddiet weddill ei bywyd.

'A taw Gog o'dd hi, tybed beth yw ei hanes hi dyddie hyn?'

'Gog?' ebychodd Meira'n syn.

Roedd hi wedi cymryd yn ganiataol mai Groeges neu Saesnes oedd y ferch. Ond Cymraes? Roedd hynny'n lot rhy agos i adre. Lot gormod. A Gog ar ben hynny?

'Pwy yw hi? O ble ma hi'n dod? Gareth... ateb fi...'

Atebodd Gareth hi'n ôl efo chwyrniad swnllyd. Roedd o wedi cael KO neu dyna'r argraff a roddodd i'w ddyweddi beth bynnag. Roedd wedi datgelu gormod yn barod yn ei feddwdod. Calla' dawo.

Soniwyd byth wedyn am y peth gan 'run o'r ddau. Ond gwyddai Meira ei bod wedi cael cadarnhad o'i hamheuon y noson honno. Roedd gan ei dyweddi deimladau o hyd at ferch arall. Tra bu'r ddau'n briod hefyd, gwyddai'n iawn bod y ferch yma ar ei feddwl drwy'r amser. Byddai'n ei ddal weithiau'n edrych i'r gwagle'n hiraethus, ei feddwl yn bell, rhyw wên annwyl ar ei wyneb. Ar yr adegau hynny, gwyddai fod ei gŵr yn meddwl am y gwyliau gwyllt gwallgof gogoneddus hwnnw pan oedd o'n fyfyriwr ifanc. Yn meddwl amdani hi. Yr ast Gog!

'Y ti o'dd hi! Y ti o'dd hi *all along!*' Dechreuodd Meira chwerthin. Edrychodd pawb arni'n syn.

'Maddeuwch i mi ond ma fe jyst mor hilariws,' chwarddodd Meira drachefn nes bod dagrau'n powlio i lawr ei hwyneb. Plonciodd ei hun yn y gadair wag agosaf cyn iddi golli'i balans yn ei sandalau Carvela. I feddwl am yr holl flynyddoedd ei bod hi wedi bod yn genfigennus o hon, meddyliodd. Roedd hi wastad wedi dychmygu mai rhyw fenyw bryd golau dal, denau oedd wedi cipio calon Gareth, nid rhyw blwmpen fach ddi-nod fel Carys.

'Beth sy mor ddoniol? Wyt ti am rannu'r jôc?' gofynnodd Gareth.

'Dim, dim byd. Jôc fach breifet, 'na i gyd,' meddai gan sychu ei dagrau. 'Iestyn, cer i'r bar i nôl drinc i bawb. Wy'n meddwl bo ni'n haeddu drinc ar ôl y dyrnod y'n ni gyd 'di ga'l. Beth ma pawb moyn?'

'Meira, esgusoda fi am fod mor bowld. Ond pam wyt ti a Iestyn wedi dod draw yma?' gofynnodd Carys. 'Sut ma Rebeca? Ydi hi'n OK i fod ar phen ei hun, dŵa?'

Tasa ei merch *hi* newydd gael ei jiltio, y peth diwethaf fyddai Carys yn ei wneud fyddai ei gadael ar ei phen ei hun.

'So hi ar ei phen ei hunan. Ma Gethin 'da hi.'

'Be?' gofynnodd Carys yn gegrwth.

'Wel, wy'n cymryd ei fod e,' meddai Meira wedyn, gan fwytho ei thraed briwedig ar ôl bod yn totran mewn sodlau ers oriau. Roedd y Carvelas wedi cael fflich o dan y gadair bellach.

'Ond dwi'm yn dallt...' meddai Carys yn hollol ddryslyd.

'*Join the club*, Carys fach!' ebychodd Meira cyn iddi hel Iestyn i'r bar i nôl jin iddi hi a beth bynnag arall roedd y lleill yn ei yfed.

COLLI CYFLE

TRA ROEDD IESTYN yn y bar aeth Meira ati i adrodd fersiwn Iestyn a hithau o ddigwyddiadau'r oriau diwethaf.

'Ar ôl i ti adael arhosodd Iestyn yn y dderbynfa. Roedd e'n disgwyl i Gethin adael ac wedyn roedd e am fynd lan at Rebeca, wrth gwrs. Pan landes i roedd Iestyn dal yn cico'i sodlau yn y dderbynfa a dal dim golwg o Gethin, heb sôn am Rebeca. Wel, es i strêt lan i stafell Rebeca i ga'l gwbod beth yn gwmws o'dd yn mynd mlân. Gnoces i ar y drws a gofyn a o'dd popeth yn iawn, er 'i fod e'n gwbwl amlwg bo nhw ddim. Waeddodd Rebeca yn ôl yn gweud bod hi a Gethin angen llonydd i siarad. Ac felly adawes i nhw. A fan'na ma'r ddau o hyd... Yn dal i siarad. Sai'n deall y peth o gwbwl!'

'No we bod Gethin yn dal yn siarad efo Rebeca,' meddai Siôn gan edrych ar ei fam. Y ddau'n methu'n lân â chredu'r peth.

'Odi. Fuodd Iestyn a finne'n dishgwl yn y dderbynfa 'na am oes! Geson ni lond bola yn y diwedd ac aethon ni drwodd i'r bar. Wel wa'th i ni ga'l rhyw iws ar y *free bar* gan bo ni wedi talu amdano fe!'

Roedd hynny'n esbonio ymarweddiad Meira, felly, meddyliodd Carys.

'Dach chi'n siŵr wnaeth Gethin ddim gadael tra oeddech chi'ch dau yn y bar a'ch bod chi wedi'i fethu o?' gofynnodd wedyn.

Ysgydwodd Meira ei phen. 'Cyn dod draw, es i lan eto i stafell

Rebeca, ac fe waeddodd Gethin yn ôl y tro hwn yn gweud eu bod nhw angen llonydd. Llonydd i siarad. *They wanted to be left alone,'* meddai wedyn gan ddechrau igian.

Angen llonydd i siarad. Siarad am beth yn union? Doedd y peth ddim yn gwneud synnwyr. Roedd pen Carys yn troi. Ychydig oriau'n ôl, roedd Gethin mor bendant nad oedd o isio priodi Rebeca. O weld Rebeca mor ypsét, ac yntau'n gymaint o galon feddal, oedd Gethin wedi ildio a newid ei feddwl eto ynglŷn â'i phriodi hi? Roedd hi'n gobeithio ddim, er ei fwyn o. Er mwyn y ddau ohonyn nhw. Doedd hi ddim yn dymuno iddo briodi am y rhesymau anghywir, fel y gwnaeth hi efo'i dad o, Medwyn.

Priodi hwnnw er mwyn cael sicrwydd a chael ffigwr tadol i Siôn wnaeth hi yn y bôn. Roedd Medwyn wedi bod yn rhyw snwyro o'i chwmpas hi ers sbel, yn ffonio Tyddyn Bach yn aml yn ei gwahodd i fynd i'r pictiwrs efo fo neu i fynd am dro. Gwneud rhyw egsus tila nad oedd hi'n rhydd oedd hi bob tro nes i'w mam ateb y ffôn ar ei rhan un noson a phenderfynu drosti. 'Chwara teg iddo fo wir. Ychydig iawn o ddynion fysa'n fodlon mynd ar ddêt efo mam ddi-briod yn gwbod yn iawn fod ganddi fagej. Ddylat ti fod yn ddiolchgar a bachu ynddo fo, 'mechan i. Fysa ti'n gallu gneud lot gwaeth na rhywun fel Medwyn Hughes.'

Felly er mwyn cau ceg ei mam, a chan nad oedd ganddi ddim byd gwell i'w wneud, cytunodd yn gyndyn i fynd allan efo fo.

Pan landiodd Medwyn yn fuan un noson Sadwrn braf, ac yntau'n ôl ei arfer yn eistedd yn ei gar yn disgwyl am Carys, bu bron iawn iddo neidio allan o'i groen pan glywodd gnocio gwyllt ar y ffenest. Thelma oedd yno yn ei wahodd yn gynnes i mewn i'r tŷ i ddisgwyl am ei merch. Pan gerddodd Carys i mewn i'r gegin roedd hi'n methu credu ei llygaid. Dyna ble roedd Medwyn a'i draed dan y bwrdd, yn llythrennol ac yn ffigyrol. Sgwrsiai'n braf efo Thelma, y ddau'n cael hwyl garw i weld, a'i mam yn chwerthin o'i hochr hi. Roedd hynny ynddo'i hun yn beth anarferol. Roedd y ddau'n mwynhau paned o de a Thelma'n brysur yn torri ail dafell o dorth frith iddo. Yn eistedd yn ddel wrth ei ochr, yn sgwrsio'n braf, roedd Siôn. Oedd, roedd dyfodol Carys wedi'i selio y pnawn hwnnw. Cariad ei mam oedd Medwyn. Ei mam oedd wedi mopio efo Medwyn. Medwyn oedd yr achubwr yn llygaid Thelma. Y dyn wnaeth ferch barchus o'i merch. Ei merch a dynnodd anfri ar y teulu drwy dynnu ei nicyr yn Faliraki.

'Yna, feddylies i falle dy fod ti'n gwbod,' meddai Meira wedyn.

Tarfodd sylw Meira ar feddyliau Carys. 'Gwbod be felly?' gofynnodd yn ddryslyd.

'Falle dy fod ti'n gwbod pam fod dy fab di wedi newid ei feddwl ynglŷn â phriodi fy merch i. Dyna pam wy 'ma. Wy moyn gwbod pam.'

'Yli, Meira, yr unig beth dwi'n ei wbod ydi bod Gethin wedi newid ei feddwl,' meddai Carys yn amddiffynnol. Ddim ei lle hi oedd datgelu rhesymau ei mab.

'Ond pam? Pam?' pwysodd Meira drachefn. 'Ma'r ddau'n berffeth i'w gilydd!'

Poen mawr Meira Lloyd Jenkins oedd beth yn y byd mawr roedd pobol yn mynd i'w ddweud? Rebeca Arianrhod o bawb wedi cael ei jiltio ar ddiwrnod ei phriodas! Fyddai'n ddigon drwg tasa'r briodas wedi cael ei chynnal yn San Clêr. Ond roedd hyn ddeg gwaith gwaeth! Yr holl ffýs a ffwdan fuodd 'na ynglŷn â phriodas draw yn yr Eidal a honno heb ddigwydd yn y diwedd! I feddwl ei bod hi wedi aberthu yr Eisteddfod a'i chôr i ddim byd! Mi fydden nhw'n gyff gwawd am flynyddoedd i ddod. Llowciodd y jin roedd Iestyn newydd ei roi o'i blaen mewn dau lowc.

'Wy am fynd, wy'n meddwl,' meddai John Gareth gan ddal llygaid Carys. 'Ma 'da fi ffleit gynnar peth cynta bore fory.'

Byddai Carys wedi lecio cael y cyfle i ffarwelio'n iawn efo fo. Efallai ei bod wedi bod yn rhy galed arno fo gynnau. Yn rhy siort. Doedd dim bai arno fo mewn gwirionedd. A chwarae teg roedd o wedi dod draw yn unswydd i holi am ei mam. Dylai ymddiheuro am fod mor surbwch efo fo'n gynharach. Roedd gan y ddau gymaint eto i'w ddweud wrth ei gilydd. Roedd ganddynt waith dal i fyny. Heb sôn amdano fo a Siôn. Gan gymryd ei fod o'n dymuno bod yn rhan o fywyd ei fab. Ond efallai nad oedd isio hynny. Pwy a ŵyr? Roedd hi'n rhy hwyr bellach i ffeindio allan.

'Dwi isio pi-pi,' datganodd Sisial.

Gwelodd Carys ei chyfle.

'A'i â hi,' cynigiodd. Gallai gydgerdded allan efo John Gareth a chael cyfle i ffarwelio efo fo'n iawn yr un pryd.

'Na. Isio Dad fynd â fi,' datganodd y fechan yn bendant. Rhywbeth i dynnu'n groes.

'Awn ni'n tri i fyny dwi'n meddwl. Mae heddiw wedi bod yn ddiwrnod hir iawn,' meddai Greta gan ddylyfu ei gên a chychwyn hel ei phethau.

'Ti'n gweud 'tho ni,' meddai Meira drwy'i dannedd. 'Iestyn, cer i nôl jin arall i Carys a finne plis. A gwna nhw'n rai mawr y tro hyn.'

'Fysa'n well i finna fynd i fyny hefyd,' meddai Carys, yn gweld llygedyn o obaith iddi gael y cyfle i gael sgwrs efo John Gareth wedi'r cwbl.

'Nonsens! Ishte di lawr, Carys fach. Smo ti'n cal mynd i

dy wely nawr. *The night is still young*! Ishte di lawr fan hyn,' slyriodd Meira gan gydio'n dynn ym mraich Carys a'i thynnu hi i lawr wrth ei hochr.

Gan roi ochenaid fawr ddofn gorfodwyd Carys i eistedd drachefn. Gwyliodd ei hwyres fach, Siôn a Greta yn gadael yng nghwmni John Gareth. Gwyliodd John yn diflannu drwy'r drws. Yn diflannu o'i bywyd unwaith eto.

JIN A JANGL

A R ÔL PEDWAR jin, tri yn rhai dwbl a Duw a ŵyr beth arall roedd hi wedi bod yn ei yfed ynghynt, roedd Meira'n hongian. Bob tro roedd Carys yn trio gadael roedd hi'n mynnu ei bod hi'n aros am un drinc bach arall.

'Wir rŵan, Meira, well i mi throi hi, mae'n mynd yn hwyr,' protestiodd Carys am y degfed tro.

'Na, *don't go*! Aros am *one more*. Aros am neitcap bach,' pwysodd. 'Beth gymri di? Brandi? Neu amaretto bach? *I know what we'll have*, limoncello. Ma hwnnw'n lyfli. Iestyn, cer i nôl limoncello i fi a Carys, plis.'

'Well i mi fynd i fyny i jecio sut ma Mam, dwi'n meddwl,' triodd Carys wedyn.

'Yffach, *don't you worry* ambyti honno,' wfftiodd Meira. 'Ishte di lawr, *gwd girl*. Wyt ti fel finne, wedi ca'l *hell of a day* heddi. *Hell of a day*.'

'Dyna pam dwi am fynd i fyny ac mae gen i gur yn fy mhen, braidd,' meddai Carys wedyn gan godi.

'*Sit down!*' gorchymynnodd Meira gan ddefnyddio ei llais prifathrawes gorau. Llais na fyddai neb yn meiddio anufuddhau iddo. Yn ei dychryn eisteddodd Carys i lawr yn ei hôl yn union fel merch ysgol oedd newydd gael cerydd.

'Falle, y bydde fe'n well i ni'n dau fynd 'nôl i'r gwesty, Meira. Mae Carys yn iawn, mae'n mynd yn hwyr,' triodd Iestyn.

Ciledrychodd ar Carys, roedd yntau'n amlwg o'r un farn fod yr hen Meira wedi cael mwy na digon. Byddai'n rhaid iddo ffonio am dacsi, doedd ei wraig ddim yn ffit i roi un droed o flaen y llall, heb sôn am gerdded yn ôl i'w gwesty. Anwybyddodd Meira sylw ei gŵr. Ysgydwodd ei phen yn drist.

'Yr holl drefnu 'na, misoedd ar fisoedd o drefnu... yr holl blanio... yr holl ddishgwl mlân... *For what?*' Mwmiodd wedyn a'i phen i lawr ar ei brest. 'Fe fydda i'n laffing stoc... laffing stoc! Rebeca Arianrhod wedi ca'l ei jilto... *Oh, the shame!*'

Mwya'n byd roedd Meira'n ei yfed, mwya'n byd, am ryw reswm, roedd yr iaith fain yn dod allan o'i cheg.

'Dim ots be ma pobol yn ei feddwl, siŵr, well ffeindio allan rŵan tydi nac ar ôl priodi,' ceisiodd Carys ei chysuro o fath.

Yn rhyfedd iawn, ni chafwyd unrhyw ymateb gan Meira. Edrychodd Iestyn a Carys ar ei gilydd mewn tawelwch lletchwith.

Tarfwyd ar y tawelwch gan chwyrniad uchel. Roedd Mei Ledi'n chwyrnu cysgu'n braf. Diolch i Dduw ei bod hi wedi cael KO, meddyliodd Carys. Gallai fynd i'w gwely rŵan, o'r diwedd.

'Well i mi ffonio am dacsi, wy'n credu,' meddai Iestyn gan ysgwyd ei ben. Syllodd ar Meira yn swrth feddw yn ei chadair, ei cheg ar agor, ei dwy goes ar led a'r shiffon *oyster* pinc bellach i fyny at ei chluniau.

Wrthi'n helpu Iestyn i godi Meira o'i chadair oedd Carys pan welon nhw'r ddau. O'u gweld, gollyngwyd Meira mewn sioc. Disgynnodd honno yn ei hôl yn un swp meddw.

Roedd Carys yn methu credu ei llygaid. Pwy oedd yn cerdded tuag atynt ond Gethin a Rebeca. Sylwodd fod Rebeca yn gwenu fel giât. Roedd yr ymateb ar wyneb Gethin yn anoddach i'w ddeall, un anodd fuodd hwnnw erioed i'w ddarllen.

'Dwi'm yn dallt...' meddai Carys gan syllu ar y ddau a oedd yn dal dwylo'n dynn. 'Be sy'n mynd ymlaen?'

'Odi Mam yn olréit?' Diflannodd y wên oddi ar wyneb Rebeca o weld ei mam yn y ffasiwn stad.

'Ma hi'n *pissed*,' datganodd Iestyn a oedd wedi ffendio ei dafod mwyaf sydyn. '*Pissed* feddw gaib a *pissed off* bo'r briodas wedi'i chanslo.'

'Ddaw hi drosto fe,' meddai Rebeca wedyn a dychwelodd y wên.

'Mm,' meddai Iestyn gan edrych i lawr yn amheus ar ei wraig oedd yn geiban.

'Sut ma Nain? Ydi hi'n OK?' gofynnodd Gethin wedyn. 'Sori wnes i ddim ateb eich tecsts chi... Ond o'n i wedi diffodd fy ffôn er mwyn i Rebeca a finnau gael llonydd i siarad... i drafod pethau.'

'Yndi, yndi, synstroc gafodd hi.'

'Ydi hi'n dal yn yr ysbyty?'

'Nadi, mae hi yn ei gwely. Ylwch, dim ots am neb na dim arall am funud fach,' meddai Carys yn dechrau colli amynedd rhyw fymryn. 'Dwi ddim wedi clywed siw na miw gin ti ers oriau, Geth. Dwi 'di bod yn poeni'n enaid amdanat ti a dyma chdi'n landio yma rŵan efo Rebeca. Wnewch chi plis ddeud wrthon ni be sy'n mynd ymlaen?'

'O'n i ddim rili isie priodi whaith,' meddai Rebeca gan wenu ar ei chyn-ddyweddi. 'O'n i'n teimlo'n gwmws yr un peth â Gethin.'

'Be? Doeddat tithau ddim isio priodi chwaith?' gofynnodd Carys yn gegagored.

Ysgydwodd Rebeca ei phen. 'Ddim rili. Mami o'dd yn pwyso ac yn mynd mlân ac ymlân am y peth. Gweud nad o'dd e'n iawn bod Gethin a fi'n byw 'da'n gilydd. Mynd mlân fod merch neu fab hwn a hon wedi dyweddïo, yn priodi neu'n dishgwl. O'dd Gethin, pwr dab, yn teimlo dan bwyse i ofyn i fi ei briodi fe ac o'n i'n teimlo dan bwyse mawr i dderbyn. Ond rili o'dd y ddau ohonon ni'n hapus fel o'n ni. Ac ar ôl i ni'n siarad am orie heddi, ni'n gwbod nawr beth y'n ni moyn.'

'Ond oeddat ti i weld mor cîn,' meddai Carys wedyn, yn dal ddim cweit yn dallt yn iawn beth oedd yn mynd ymlaen.

'Mami oedd yn cîn,' esboniodd Rebeca. 'O'r funed roedd y fodrwy ar fy mys i o'dd ei llyfr nodiadau hi mas yn dechre trefnu'r briodas. O'ch chi 'na eich hunan, Carys, pan wedodd Mam ei bod hi wedi profisionali bwco Plas Tan yr Onnen ar gyfer y wledd briodas. Wel, er mwyn rhoi'r brêcs ar 'nny, wedes i ein bod ni'n dymuno priodi fan hyn, yn Sorrento. Gymres i y bydde 'na restr aros hirfaith i ga'l priodi yn y clwysty, ac wrth gwrs fe o'dd 'na. Hynny yw, nes iddyn nhw ga'l cansylesion. O edrych yn ôl, dylen ni wedi ei wrthod e. Ond o'dd Antonia mor ecseited bod ei chwmni *hi* wedi ca'l y cynnig cynta, yn hytrach na chwmni trefnu priodas arall – wel, o'n i ddim moyn ei siomi hi wedyn drwy wrthod.'

'O, Rebeca fach,' ysgydwodd Carys ei phen. Roedd hi wedi camddeall y ferch yma'n llwyr, meddyliodd. Doedd hi ddim byd tebyg i'w mam. Tynnu ar ôl ei thad oedd Rebeca.

Gwawriodd arni'n sydyn hefyd pam nad oedd yr un ffrog briodas yn plesio Rebeca. Doedd hi ddim wir yn ei chalon isio priodi.

Aeth Rebeca yn ei blaen. 'Ges i yffach o *panic attack* ar ôl i ni gyrra'dd 'ma. Ffaelu neud dim byd ond llefen. Ar ôl i ni gyrra'dd y gwesty, o'dd yr holl beth yn real wedyn. O'dd y briodas yn mynd i ddigwydd. Er mod i'n meddwl y byd o Gethin, o'n i ddim moyn ei briodi fe.'

'Esgus oedd bygwth canslo'r briodas oherwydd y tywydd

felly, ia? Doeddat ti ddim isio priodi ffwl stop,' gwenodd Carys arni'n wan.

'Ond o'dd e lot rhy hwyr i ganslo'r briodas erbyn 'nny,' esboniodd Rebeca. 'Neu dyna beth o'n i'n feddwl, ta beth. Fydde fe wedi bod yn ddigon i Mami. Ac yn bwysicach, o'n i ddim moyn brifo Gethin. Sut yn y byd mawr o'n i'n mynd i allu gweud 'tho fe mod i ddim isie ei briodi fe? Ar ôl y rihyrsal yn y clwysty, o'n i'n ffaelu byw yn fy nghroen. Ges i fel y *panic attack* mwya ofnadw. Un arall. Wnes i neud rhyw esgus pathetig mod i angen sorto preso fy ffrog, jyst er mwyn dianc am funed. Es i am dro ar hyd y ffrynt, i drio cliro 'mhen. Ond yr unig beth o'dd yn mynd rownd a rownd yn fy mhen i o'dd, 'sen i'n canslo'r briodas nawr, fydde fe'n rhoi shwt lo's i gyment o bobol. O'dd e'n haws jyst cario mlân.'

'Blydi hel,' ebychodd Carys gan ysgwyd ei phen. 'Ma isio cnocio'ch pennau chi'ch dau. Pam na fasach chi wedi siarad efo'ch gilydd? Pam na fasach chi wedi bod yn onest efo'ch gilydd? Deud be oedd ar eich meddyliau chi? Fasach chi wedi arbed lot fawr o boen a hasl i bawb... ac i chi'ch gilydd. Fedrwch chi ddim mynd drwy eich bywydau yn trio plesio pobol eraill, 'chi.'

'Dan ni'n sylweddoli hynny rŵan, tydan?' meddai Gethin gan wenu ar ei gyn-ddyweddi.

'O'n i mor hapus, pan wedodd Gethin bo fe ddim moyn priodi. O'dd e fel 'se pwyse'r byd wedi codi oddi ar fy sgwydde,' meddai Rebeca gan edrych yn ôl yn annwyl ar ei chyn-ddarpar ŵr.

Ac mi oedd o hefyd, sylwodd Carys. Doedd Rebeca ddim yr un ferch, roedd rhyw fywiogrwydd ac anwyldeb newydd yn ei hymarweddiad. Welodd hi erioed mohoni mor hapus, na Gethin chwaith.

'Felly be sy'n digwydd rŵan?' Roedd Carys ofn gofyn. Duw a ŵyr beth fyddai ateb y ddau.

'Wel, ni 'di bod yn siarad, dofe, Gethin?'

'Do,' meddai hwnnw gan nodio ei ben yn gytûn. 'A dan ni wedi penderfynu ein bod ni'n dau am gymryd brêc o'n gwaith. Dan ni am fynd i deithio am flwyddyn neu ddwy. Gweld ychydig o'r hen fyd 'ma.'

'Felly, jyst i fod yn glir, ac i neud yn siŵr mod i wedi dallt petha'n iawn, mi ydach chi dal yn ffrindiau, ond dach chi ddim am briodi, dwi'n iawn?' cadarnhaodd Carys.

'Syniad call iawn. Ma fe'n neud sens perffeth i fi,' meddai Iestyn gan wenu ar y ddau. 'Wel, wy'n meddwl bo ni wedi ca'l digon o ecseitment am un diwrnod. Amser gwely wy'n credu.'

Ar ôl i Iestyn drefnu'r tacsi, aeth y pedwar ati i drio codi Meira o'i chadair.

'*Will you stop manhandling me?*' ebychodd yn flin. '*Another gin...* Fi moyn jin...' slyriodd y corff yn y shiffon *oyster* pinc gan daro andros o rech. Un ddrewllyd ar ben hynny.

Cael a chael oedd hi i'r pedwar allu stwffio Meira Lloyd Jenkins, yn llythrennol felly, i gefn y tacsi. Ar fin neidio i mewn oedd Gethin a Rebeca hefyd pan ofynnodd Carys i'r ddau aros am fod ganddi hithau rywbeth pwysig i'w ddweud wrthyn nhw hefyd.

Teg oedd dweud eu bod yn gegrwth pan glywsant fod Siôn nid yn unig yn hanner brawd i Gethin ond ei fod hefyd yn hanner brawd i Rebeca.

TASA, PETASAI...

Er fod Carys wedi ymlâdd ar ôl holl gynnwrf a helynt y diwrnod hwnnw roedd hi'n methu'n glir â mynd i gysgu. Ailfywiai ddigwyddiadau'r diwrnod yn ei phen. Gethin yn cyfaddef nad oedd isio priodi Rebeca. Ei mam yn llŷg ar lawr y clwysty ac yn cael ei chartio i ffwrdd mewn ambiwlans. Meira Lloyd Jenkins yn feddw gocls. Gethin a Rebeca yn cyrraedd gan ddatgan nad oedd yr un ohonyn nhw isio priodi a'u bod yn hytrach am fynd i deithio efo'i gilydd. Wynebau'r ddau wedyn o gael gwybod bod tad Rebeca yn dad i Siôn yn ogystal. Ond yn fwy na dim, y ddelwedd honno o John Gareth ar ei gwrcwd o flaen Sisial yn cyflwyno ei hun iddi fel ei thad-cu ac yn estyn ei law allan iddi. Roedd y llun hwnnw fel petai ar lŵp yn chwarae yn ei phen a geiriau Meira'n atseinio:

'O'n i wastad yn gwbod bod rhywun arall. Rhywun arall ar ei feddwl e... Rhywun o'dd e wedi'i chyfarfod cyn fi, a'i fod e'n dal i ddyheu amdani hi.'

Fe allai pethau wedi bod mor wahanol, meddyliodd. Gallai bywyd wedi bod mor wahanol, meddyliodd wedyn. Tasa John heb adael y pishyn papur *chewing gum* yna yn ei boced. Tasa ei fam heb fod ar gymaint o frys i olchi'r jîns. Pan na fyddai hi wedi cymryd ei rif ffôn o? Er y gwyddai na fyddai ganddi ddigon o gyts i'w ffonio fo gyntaf p'run bynnag. Er falla y byddai hi wedi gallu magu digon o blwc i gysylltu efo fo i adael iddo wybod ei fod yn dad. Ynte fyddai hi? Pethau fel hyn oedd yn rasio drwy ei meddwl a'i chadw'n effro.

Teimlai'n ofnadwy iddi fod mor surbwch efo fo'n gynharach. Doedd o ddim wedi anghofio amdani. Ar hyd yr holl amser roedd o wedi bod yn meddwl amdani. Fel yr oedd hi wedi bod yn meddwl amdano yntau, ond ei bod hi wedi bod yn meddwl amdano fo mewn golau anffafriol. Roedd hi wedi'i gollfarnu ar hyd y blynyddoedd. Roedd hi wedi meddwl mai dim ond ei defnyddio hi roedd o wedi'i wneud ac nad oedd ganddo unrhyw fwriad yn y byd o gadw mewn cysylltiad ar ôl y gwyliau. Ond roedd o wedi bod yn chwilio amdani, wedi bod yn meddwl amdani, wedi bod yn gobeithio am sawl blwyddyn y bysai'n ei gweld hi eto yn y Steddfod. Yr eironi mawr oedd, tasa hi heb fynd i ddisgwyl efo Siôn mwyaf tebyg y bysa hi'n y Steddfod, yn mwynhau ei hun efo'i ffrindiau coleg ac ati. A tasa Meira a Iestyn heb landio'n gynharach, bydden nhw wedi cael cyfle i gael sgwrs. Ond collwyd y cyfle diolch i Meira, yr hen hulpan wirion 'na. Colli cyfle unwaith eto.

Tasa, tasa, petasai...

Roedd hi bron yn gwawrio pan lwyddodd Carys i fynd i gysgu'n diwedd.

'Carys, coda, dan ni ddim isio colli brecwast.'

Deffrowyd Carys gan sŵn clepian drysau ac agor a chau droriau'n wyllt. Doedd Thelma ddim yn gwneud unrhyw fath o ymgais i fod yn dawel wrthi iddi drio pacio. O'i holl sŵn a'i stŵr fyddai neb yn meddwl iddi gael ei chartio i'r ysbyty mewn ambiwlans y diwrnod cynt ar ôl cael synstroc.

Falla fod Thelma fel y gog ond tebycach i lygoden fawr wedi cael gwenwyn oedd Carys. Roedd y cur pen yn dal ganddi. Effaith y diffyg cwsg, ac mae'n debyg nad oedd yr holl jins roedd Meira wedi'u stwffio ynddi wedi helpu chwaith. Ond yn waeth na'r cur pen, teimlai fod yna ryw hen apathi mawr wedi cael gafael arni.

Edrychodd ar ei mobeil, griddfanodd o weld y sgrin dywyll. Damia, roedd hi wedi anghofio ei jarjio noson cynt.

'Faint o'r gloch ydi hi?' gofynnodd.

'Deg munud i wyth. Coda.'

Griddfanodd eto. Deg munud i wyth oedd hi! Roedd hi wedi gobeithio cael *lie in*. Doedd 'na ddim brys mawr i godi a rhuthro gan nad oedd eu ffleit tan ddiwedd y pnawn. Bore olaf bach hamddenol cyn gadael am y maes awyr ar ôl cinio oedd y bwriad. Ond doedd dim gobaith caneri o hynny efo Thelma fel gafr ar dranau.

'Tyrd yn dy flaen, Carys, cod wir,' meddai'r cloc larwm wedyn. 'W't ti 'di gweld fy mhanti girdl i?'

'Naddo! Dwi ddim wedi gweld eich hen banti girdl chi,' atebodd Carys yn siort gan godi o'i gwely. Doedd dim llonydd i'w gael.

'Be 'nes i efo fo ar ôl ei dynnu o neithiwr, dŵa?'

'Dwi ddim yn gwbod, nacdw!' meddai Carys gan drampio draw i'r ystafell ymolchi.

Beth lygadodd hi yno o dan y sinc, ond y panti girdl colledig. Roedd o'n amlwg wedi cael ei luchio'n ddiseremoni pan dynnodd Thelma amdani'r noson cynt.

''Ma fo,' ochneidiodd Carys gan ddanglio'r *foundation garment* bondigrybwyll yn nrws y bathrwm. 'Ar lawr y bathrwm o'dd o.'

'Be o'dd o'n da yn fanna?' gofynnodd Thelma'n syn gan gipio'r girdl a'i anwesu fel tasa fo'n hen ffrind. 'Dalais i bunnoedd am hwn. Hy! Ac i be? O'n i ddim ei angen o'n diwedd, nac oeddwn?'

'Be dach chi'n feddwl? Oeddech chi ddim ei angen o'n diwedd?'

'Ei brynu o gyfer y briodas 'nes i, 'de. 'Nes i brynu un newydd yn un swydd. Tydi panti girdls ddim yn betha rhad, sdi. Dalis i dros dri deg punt am hwn. Ma o'n un Playtex,' meddai hi wedyn fel tasa hynny i fod i olygu rhywbeth i Carys.

'Dach chi isio i mi ofyn i Gethin roi pres i chi amdano fo?' gofynnodd Carys yn goeglyd.

'Paid â siarad yn wirion, hogan. Ond sôn am wast o bres ac amser rhywun. Heb sôn am fflio yma'r holl ffordd, a thalu am hotel ar ben hynny. Ac i be? I be'n diwedd?'

'Gawsoch chi wyliau bach neis allan ohono fo, 'do?'

'Hy. Taswn i isio mynd ar fy holides, fyswn i wedi mynd efo trip bỳs i Sgotland ne rwla, byswn?'

Ochneidiodd Carys. Dyma hi, dyma hi'n dechra. Oedd hi'n amau na fyddai hi'n hir tan i Thelma ddechrau edliw am y briodas na fu. Dyma fyddai yn ei cheg hi rŵan hyd nes iddi ffendio rhywbeth arall i ruo amdano. Ond tan hynny, châi Carys ddim clywed ei diwedd hi.

'Ac i neud petha'n waeth, mae'r ddau'n dal efo'i gilydd!' Aeth Thelma yn ei blaen. 'Dwi jyst ddim yn dallt y peth wir. Pobol ifanc dyddiau yma.'

'Reit, dwi'n mynd am gawod,' meddai Carys mewn ymgais i ddengid y ffordd gyntaf.

'Ac mi ddeuda i rwbath arall wrthat ti hefyd...' meddai wedyn yn ail godi stêm.

Gluodd Carys hi yn ei hôl i'r ystafell ymolchi gan gau'r drws yn glep cyn iddi orfod gwrando ar y rhywbeth arall oedd yn poeni ei mam.

'Paid â bod yn hir. Dwi ar lwgu!' gwaeddodd honno arni wedyn.

'O, Dduw mawr, rho i mi nerth,' erfyniodd Carys gan syllu'n ddigalon ar ei hadlewyrchiad yn y drych. Syllai bwgan brain trist yn ôl arni. Roedd ei gwallt ar ben ei dannedd a dwy lygad panda ddu ganddi. Estynnodd am y *wipes* i dynnu olion masgara ddoe oddi ar ei llygaid. Hwyr glas i ni fynd adref, meddyliodd, gan rwbio'r düwch oddi ar ei llygaid a sychu'r dagrau yr un pryd.

'Dach chi'n siŵr fod gynnoch chi ddigon yn fan'na?' gofynnodd Siôn i'w nain, yn llygadu'r *pastries* oedd yn bentwr ar ei phlât.

'O'n i ddim isio bod yn farus, a'i nôl mwy wedyn.'

Gwenodd Carys, Siôn a Greta ar ei gilydd gan ysgwyd eu pennau.

Sylwodd Carys ar ddyn tal pryd golau yn dod i mewn i'r ystafell fwyta. Roedd o fel tasa fo'n chwilio am rywun. Gwisgai grys glas a *chinos* golau. Am un foment wyllt meddyliodd mai John Gareth oedd o. Am un foment, meddyliodd ei fod o wedi newid ei ffleit er mwyn dod yn ôl i'r gwesty a datgan ei wir deimladau iddi. Dychmygodd y byddai'n ei chymryd yn ei freichiau. Dyna beth fyddai'n digwydd mewn ffilm. Ond ddim mewn ffilm oedd Carys, gwaetha'r modd. Bywyd go iawn oedd hyn a doedd pethau felly byth yn digwydd mewn bywyd go iawn.

Ochneidiodd yn dawel wrth weld y dyn yn gwenu'n gynnes a mynd draw at fwrdd cyfagos iddynt. Cusanodd y wraig oedd yn eistedd wrth y bwrdd. Roedd cymaint wedi digwydd ac eto ddim, meddyliodd gan fwyta ei thost yn ddiflas.

Ar ôl sglaffio'r *pastries* cododd Thelma i fynd i giwio am fwy.

'Dwi 'di talu am frecwast felly waeth i mi gael gwerth fy

mhres ddim,' meddai hi gan gyfiawnhau ei barusrwydd.

Tra oedd yn ciwio roedd Thelma wedi dechrau sgwrsio efo cwpl clên o Epsom. Newydd gyrraedd y gwesty oedd y ddau. Roedd hi wedi cymryd oriau iddyn nhw gyrraedd o'r maes awyr y bore hwnnw, meddan nhw, gan fod y traffig i mewn ac allan o Sorrento mor drwm. Roedd yna ddamwain fawr wedi bod ar y ffordd a'r lôn wedi cau'r ddwy ffordd am gyfnod a chiwiau maith. Styrbiodd Thelma drwyddi pan glywodd hyn. Ofnai drwy ei thin ac allan y byddai hyn yn golygu y byddent yn styc mewn ciw ar y ffordd am oriau a hynny'n golygu y byddent yn colli'r ffleit adref. Roedd ganddi apwyntiad efo'i *chiropodist* y prynhawn canlynol. Ddim ar boen ei bwyd roedd hi'n bwriadu colli hwnnw. Doedd yr holl drampio yn y gwres dros y dyddiau diwethaf wedi helpu dim ar ei *bunions*. Heb sôn am ei chorn.

'Ond mam bach, fyddan ni yna oriau rhy fuan!' protestiodd Carys pan ddeallodd fod ei mam wedi mynd draw i'r dderbynfa a bwcio dau dacsi ar eu cyfer am ddeg o'r gloch.

'Waeth i ni ista yn y maes awyr na ista ar ein tina yn fyma ddim,' atebodd ei mam. 'Gwell bod yna oriau yn gynt na munud yn rhy hwyr. Pawb i fynd i bacio reit handi.'

Prin roedd gan Carys amser i hel ei phethau. Taflodd ei stwff i mewn i'w chês blith draphlith gan ddamio ei mam i'r cymylau ar yr un pryd.

Bu ond y dim iddi anghofio ei ffôn oedd yn dal i jarjio wrth ochr ei gwely. Ciledrychodd ar y sgrin. Roedd ganddi un neges newydd. Neges ers neithiwr. Rhif dieithr. Pwy andros oedd wedi ei thecstio? Agorodd y neges. Llamodd ei chalon. Darllenodd y tecst. Roedd hi'n methu credu'r peth. Ailddarllenodd y neges. Gwenodd. Darllenodd y neges am y trydydd tro. Y neges roedd hi wedi bod yn dyheu mor hir amdano. Roedd hi'n methu stopio gwenu.

Wnai ffonio ti. Fi moyn dy weld di 'to. John Gareth XX

Heb feddwl ddwy waith atebodd yn ei ôl syth bin yn dweud y byddai hynny'n neis. Roedd hi rhwng dau feddwl ai ychwanegu swsys neu beidio. Doedd hi ddim isio swnio'n rhy cîn ond eto roedden nhw'n rhy hen ac yn rhy hyll i chwarae gemau gwirion. A beth bynnag, roedd o wedi rhoi dwy sws iddi hi, felly cwrteisi fyddai anfon dwy yn ôl.

Roedd hi'n methu stopio gwenu. Gwyddai y byddai'n siŵr o gadw at ei air y tro hwn.

HIR YW BOB YMAROS

EDRYCHODD CARYS AR ei wats eto fyth. Ochneidiodd. O, roedd hyn mor, mor ddiflas.

'Pryd dan ni'n myyyynd?' swniodd Sisial am y canfed tro'r bore hwnnw.

Eisteddai'r pump yng nghaffi'r maes awyr ar eu hail baned. Disgwyl i'r ddesg jecio mewn agor oedden nhw ond roedd ganddynt oriau i aros eto. Ugain munud wedi pedwar oedd y ffleit, roedd hi rŵan yn ddeg munud i hanner dydd. Roeddynt wedi cyrraedd y maes awyr y tu hwnt o gynnar ac ar Thelma oedd y bai.

Ar eu ffordd i'r maes awyr (roedd y lôn bellach yn gwbl glir a dim unrhyw olion o'r ddamwain a fu ynghynt) roedd hi wedi cael ar ddeall gan Siôn bod John Gareth wedi gofyn am ei rif ffôn ar ei ffordd allan neithiwr, er mwyn i'r ddau fedru cadw mewn cysylltiad, os oedd Siôn yn dymuno hynny wrth gwrs. Cytunodd Siôn. Wel, doedd ganddo ddim i'w golli. Ar ôl iddyn nhw gyfnewid rhifau ffôn, roedd ei dad wedi gofyn yn swil, a fyddai o'n meindio rhoi rhif ffôn ei fam iddo hefyd. Rhoddodd Siôn y rhif iddo'n syth ac ni allai Carys ddim diolch digon iddo am wneud hynny.

Fel ei mam, edrychai hithau ymlaen i gyrraedd adref. Ond am resymau hollol wahanol. Câi'r teimlad fod 'na bennod newydd sbon ar fin dechrau yn ei bywyd. Allai hi ddim disgwyl.

A hithau'n amser cinio roedd y caffi bach yn y maes awyr

dan ei sang ac roeddynt yn ffodus eu bod wedi gallu bachu bwrdd.

'Be wnawn ni? Mynd i nôl rhwbath i fwyta?' cynigiodd Carys. 'Neith hynny wastraffu rhywfaint o amser i ni.'

'Pawb i ordro pwdin hefyd. Neith hynny wastio rhyw ugain munud arall i ni.'

Anwybyddodd Thelma sylw coeglyd Siôn. Eisteddai'n dawel a'i stumog yn dal yn llawn ar ôl y *pastries*. Cadwai un llygad barcud ar y sgrin oedd yn dweud pryd roedd y ddesg yn agor.

'Pryd dan ni'n myyynd?' swniodd y fechan eto fyth. Roedd hi fel tiwn gron. 'Dwi isio myyyynd. Dwi isio mynd o 'ma!'

Roedd Sisial, yn fwy na neb, wedi hen laru erbyn hyn. Yn eu tro, roedd Carys, Siôn a Greta wedi trio ei chadw'n ddiddig. Y tri wedi cerdded hyd a lled y maes awyr efo hi, roedd pob llyfr a chylchgrawn wedi'i ddarllen o glawr i glawr a phob gêm wedi'i chwarae hyd syrffed. Os na allen nhw ffeindio ffordd i dawelu'r dyfroedd yn o handi synhwyrodd Carys fod 'na dantrym tan gamp ar y gorwel.

Cofiodd am ei ffôn, estynnodd o'i bag a'i roi i'r fechan. 'Dyna chdi, chwarae di *Cyw* ar ffôn Nain.'

Derbyniodd honno'r ffôn yn llawen. Dylai hynny ei chadw'n dawel am sbel. Dro yn ôl roedd Carys wedi lawrlwytho ap *Cyw* ar ei ffôn. Roedd o'n adnodd handi dros ben pan oedd hi'n gwarchod.

'Reit, dwi'n mynd i nôl rhwbath i fwyta,' meddai gan godi. 'Mam, dach chi isio rhwbath?'

'Dim diolch. *Dwi* dal yn llawn ar ôl brecwast mawr, 'te,' meddai gan roi pwyslais mawr ar y 'dwi'.

'Ddo'i hefo ti,' meddai Greta gan godi. 'Be wyt ti isio, Siôn?'

'Tyrd â panini neu rwbath i mi,' atebodd hwnnw gan wenu'n glên ar ei bartner.

Bu Greta a Carys yn ciwio am hydoedd a doedd 'na fawr o ddewis ar ôl iddynt gyrraedd y cownter. Efallai mai ei mam oedd galla'n diwedd, meddyliodd gan dalu am banini caws a thomato, yr olaf, a choffi, ei thrydydd.

Ar eu ffordd yn ôl at y bwrdd, sylwodd Carys fod Siôn ar y ffôn yn siarad yn ddwys efo rhywun. Roedd yn nodio ei ben a golwg ddifrifol iawn ar ei wyneb. Erbyn iddynt gyrraedd yn eu holau roedd wedi gorffen yr alwad.

'Well i ti ista, dwi'n meddwl,' medda fo cyn i Carys gael cyfle i ofyn pwy oedd ar y ffôn. 'Geth o'dd yna,' medda fo wedyn.

'Ydi o'n iawn? Ydi Geth yn iawn?' Plonciodd y tre ar y bwrdd ac eisteddodd i lawr. Rasiai ei chalon a theimlai'n sâl. Gallai ddweud wrth wyneb Siôn bod rhywbeth mawr o'i le.

'Yndi, yndi tad. Ma Geth yn iawn. Ffonio dy fobeil di nath o. Ffonio i adael i ni wbod… ma John Gareth wedi bod mewn damwain. Ma o yn rhosbital. Yn Naples 'ma.'

Teimlodd Carys y gwaed yn llifo o'i chorff.

'Arclwy mawr!' ebychodd Thelma gan godi ei llaw at ei cheg mewn braw. 'Mae'n rhaid ei fod *o* yn y ddamwain fawr 'na bora ma, 'lly.'

MAE O'N DAD I MI

Y R HOLL FFORDD i'r ysbyty ddwedodd Carys ddim gair o'i phen. Dim ond eistedd yn sedd ôl y tacsi, ei phen i lawr yn gwneud dim ond syllu ar neges John Gareth ar ei ffôn. Ciledrychai Siôn arni bob hyn a hyn yn y gobaith o allu gwneud cyswllt llygaid â hi er mwyn trio ei chysuro a'i sicrhau y byddai pob dim yn iawn. Er nad oedd gan y creadur diawl hwnnw unrhyw garantî o hynny chwaith. Ar eu ffordd mewn eroplen ddylai'r ddau fod, ddim ar eu ffordd mewn tacsi i ryw ysbyty yn Naples, meddyliodd â'i chalon yn drom.

'Dwi isio mynd i'w weld o. Rhaid i mi fynd i weld o,' datganodd Carys yn syth ar ôl iddi glywed am y ddamwain.

'Be haru ti, hogan? Paid â siarad yn wirion,' wfftiodd Thelma. 'Dan ni'n fflio adra pnawn 'ma. Fedri di ddim siŵr.'

'Ewch chi. Dwi'n aros yma.' Roedd mwy na thinc penderfynol yn ei llais.

'Rhosa inna efo chdi. Mae o yn dad i mi,' meddai Siôn gan roi ei fraich amdani'n gysurlon. 'Fedrwn ni gael ffleit hwyrach, neu un fory os bydd rhaid.' Ddim ar unrhyw gyfri roedd Siôn yn mynd i adael i'w fam wynebu beth bynnag oedd o'i blaen hi ar ei phen ei hun.

'Syniad da. Cerwch chi. Byddwn ni'n tair yn OK, byddwn, Nain?' meddai Greta yn disgwyl i Thelma gytuno efo hi.

'Wn i ddim wir,' meddai honno'n gyndyn. 'Dwi wir yn methu dallt pam dach chi isio aros. Fedrwch chi neud dim.'

'Dwi'n aros, Mam, a dyna'i diwedd hi.' Gafaelodd Carys yn ei chês. Diolch i'r drefn nad oedden nhw wedi tsiecio'u cesys i mewn. 'Tyrd, Siôn.'

Ar ôl ffarwelio â'r tair arall rhuthron nhw ar frys gwyllt i gyfeiriad yr allanfa. Gweddïai Carys nad oedd hi'n rhy hwyr.

'Iawn, Mam?' mentrodd Siôn ofyn ar ôl sbel.

Nodiodd hithau ei phen.

'Dim ond newydd ddod o hyd i'n gilydd eto ydan ni,' sibrydodd. 'Fedra'i ddim ei golli fo eto. Fedra i ddim. Ma'n rhaid iddo fod yn iawn. Ma'n rhaid iddo fo.'

Gafaelodd yn llaw ei fam a'i gwasgu'n dynn wrth i ddeigryn unig ddisgyn i lawr ei boch.

Roedd gorfod mynd i'r ysbyty ddoe oherwydd ei nain a'i synstroc yn ddigon drwg i Siôn. Ond roedd gorfod mynd i ysbyty arall eto heddiw yn fwy na gormod iddo. Doedd o ddim yn ffan o ysbytai ar y gorau. Lle yn llawn pobol sâl. A'r hen oglau hwnnw wedyn, yr oglau unigryw hynnw sy'n perthyn i ysbytai. Oglau hosbital. Cyfuniad o oglau *disinfectant* ac oglau pobol wael.

O gymharu â'r ysbyty honno yn Sorrento roedd hon yn enfawr. Roedd hi ddwywaith os nad deirgwaith yn fwy. O'r diwedd, ar ôl gorfod gofyn am gyfarwyddiadau sawl gwaith, eu diffyg dealltwriaeth o'r iaith Eidaleg yn helpu dim ar bethau, cawsant hyd i'r uned achosion brys. Roedd Gethin a Rebeca yno'n barod. Roedd ôl crio mawr ar Rebeca.

'Be dach chi'ch dau yn ei neud 'ma?' gofynnodd Gethin yn syn o weld ei fam a'i frawd yn brasgamu ar hyd y coridor tuag atynt. 'O'n i ddim yn disgwyl eich gweld chi. Faint o'r gloch ma'ch ffleit chi?'

'Sut mae o?' anwybyddodd Carys gwestiwn Gethin. 'Sut ma dy dad?' gofynnodd wedyn i Rebeca.

Ysgydwodd Rebeca ei phen a llenwodd ei llygaid. Camodd Carys tuag ati a'i chofleidio'n dynn.

'Dan ni ddim wedi clywed dim byd. Ma'n nhw'n dal i operetio arno fo,' atebodd Gethin ar ei rhan.

'O, Dduw mawr.' Eisteddodd Carys i lawr yn llipa.

Sylweddolodd Gethin bryd hynny mai ddim jyst hen fflam wedi hen bylu oedd tad Rebeca i'w fam. Roedd hi'n amlwg fod y fflam yn dal ynghyn ac yn disgleirio'n gryf o hyd. Er roedd o'n dal yn ei chael hi'n anodd cael ei ben rownd y ffaith fod Rebeca a Siôn yn hanner brawd a chwaer.

Buon nhw'n eistedd yno am oriau, neu felly roedd hi'n teimlo i Carys. O'r diwedd camodd y llawfeddyg allan o'r theatr, cododd y pedwar ar eu traed yn syth. Roedd ei wyneb yn hollol ddifynegiant. Curai calon Carys fel gordd, plis, plis, gweddïodd, plis dweud ei fod o'n mynd i fod yn olréit. Plis dweud ei fod o'n mynd i fyw. Gwasgodd law Siôn yn dynn. Ceisiodd baratoi ei hun ar gyfer y newyddion gwaethaf un.

'He is a very lucky man, very lucky.'

Chlywodd Carys erioed eiriau mor fendigedig yn cael eu hynganu. A dim oherwydd eu bod yn cael eu hynganu mewn acen Eidaleg dew oedd hynny chwaith.

'He has chest and lower limb injuries. But he is going to be okay. He is very lucky to be alive after being in that crash today,' esboniodd y llawfeddyg wedyn.

Deallodd y pedwar yn ddiweddarach fod y ffaith ei fod o'n eistedd yn sedd gefn y tacsi wedi achub ei fywyd. Yn anffodus, ni fu'r gyrrwr mor lwcus.

Fesul dau, yn ddiweddarch y noson honno, cawsant fynd i mewn i'w weld o. Pan ddaeth tro Carys a Siôn ceisiodd Carys anwybyddu'r holl wifrau oedd yn nadreddu o'i freichiau a'i frest, a'r cleisiau oedd ar ei wyneb.

'Haia chdi,' meddai gan afael yn ei law a'i mwytho'n ysgafn.

'Haia ti,' atebodd yntau'n ôl yn wan gan drio ei orau i wenu. Roedd yr holl boenladdwyr ac effaith yr anaesthetig yn ei wneud braidd yn llŷg.

'Yr holl amser ni wedi'i wastraffu,' meddai wedyn wrthi'n dawel. 'Allen ni fod wedi bod 'da'n gilydd...'

'Shh... dim ots am hynna. Gwella a mendio sy'n bwysig i chdi rŵan.'

'Ddof fi draw... ddof fi draw i dy weld ti,' addawodd a chau ei lygaid.

'Fyswn i'n licio hynna,' sibrydodd Carys wrtho gan wenu.

Brwydrodd Siôn yn erbyn y dagrau poethion dieithr oedd yn mynnu cronni yn ei lygaid wrth iddo weld ei fam yn plannu cusan dyner ar dalcen ei dad.

EXTRA COOL BREEZE

ROEDD BYWYD YN rhygnu yn ei flaen.
Pob diwrnod yn union yr un fath â'i gilydd, yn llithro o un diwrnod i'r llall mewn diflastod. Roedd pedwar mis ers y trip i Sorrento. A phedwar mis ers i Carys decstio ei chyfeiriad i John Gareth. Ond er mawr siom iddi doedd hi'n dal ddim wedi gweld llun na lliw ohono. Oedd, roedd y ddau'n tecstio'i gilydd yn aml ac yn sgwrsio ar FfesTeim ac ati. Diolch i'r drefn, roedd wedi gwella'n rhyfeddol ar ôl y ddamwain, er roedd ei asennau'n dal yn boenus ar adegau. Roedd Carys wedi ei holi unwaith neu ddwy pryd roedd o'n meddwl y byddai'n teimlo ddigon da i ddod i fyny i Sir Fôn i'w gweld nhw, ond amwys iawn oedd ei ateb bob tro. Doedd hithau ddim wedi licio swnian wedyn. Doedd o ddim wedi sôn am amser wrth Siôn chwaith. Roedd y tad a'r mab hefyd yn tecstio a FfesTeimio'i gilydd. Roedd Carys wrth ei bodd yn gweld eu perthynas yn ffynnu, er mai dim ond o bell. Yn anffodus, roedd hi'n edrych yn bur debyg mai perthynas hyd braich oedd hi am fod rhwng John Gareth a hithau hefyd, a hithau wedi gobeithio am rywbeth llawer iawn mwy na hynny.

Byddai'n meddwl yn aml am y pum diwrnod hynny yn Sorrento. Gyda'r nos, a hithau heb ddim byd gwell i'w wneud, byddai'n estyn ei ffôn ac yn syllu'n hiraethus ar y lluniau o'r trip. Byddai'n syllu'n hir ar y lluniau o'r trip cwch hwnnw o gwmpas ynys Capri, yn enwedig y *selfie* ohoni hi a John

Gareth. Roedd y cyfan i'w weld mor bell yn ôl erbyn hyn. Fel breuddwyd. Bron fel tasa fo heb ddigwydd go iawn.

Y prynhawn dydd Gwener hwnnw, roedd yr archfarchnad lle roedd Carys yn gweithio ynddi yn brysurach na'r arfer gan fod Dolig bron ar eu pennau. Roedd yn well ganddi iddi fod felly gan fod diwrnod ar y til yn hedfan yn gynt. Roedd hi newydd serfio cwsmer efo mynydd o siopa, ac wedi sganio digon o fwyd i bara am fis. Wel, mis a mwy i Carys. Cyn iddi serfio'r cwsmer nesaf, ciledrychodd ar ei wats. Diolch byth, meddyliodd, dim ond hanner awr fach arall, yna byddai'r sifft ar ben a châi fynd adref i roi ei thraed i fyny. Er mai noson hir dywyll ddiflas arall oedd o'i blaen hi. Nos Wener arall o bryd parod i un, glasiad neu ddau o win a Netflix.

Trodd ei golygon yn ôl i gyfeiriad y belt. Rhoddodd ochenaid fach o ryddhad, diolch byth, doedd gan y cwsmer nesaf ddim pentwr o siopa. Yn wir, doedd dim byd ar y belt ar wahân i un peth bach. Craffodd yn fanylach. Un paced bach sgwâr gwyrddlas. Paced bach o dri gwm cnoi. Wrigley's Extra Cool Breeze. Roedd ar fin codi ei threm tuag at brynwr y gwm pan glywodd lais cyfarwydd yn dweud:

"Na drueni, so chi'n gwerthu Juicy Fruit 'ma.'

Allai hi ddim credu'r peth. Yno yn sefyll o'i blaen yn gwenu fel giât roedd John Gareth.

'Faint o'r gloch ti'n gorffen dy sifft?' gofynnodd a'i lygaid glas yn syllu i'w pherfedd.

'Ymhen rhyw hanner awr,' atebodd hithau pan gafodd hyd i'w llais. O, mam fach, roedd hi'n methu coelio'r peth.

'Af i am baned tra bo fi'n dishgwl. 'Yt ti ar hast i fynd gatre?'

Ysgydwodd Carys ei phen.

'Gwd. Wy moyn mynd â ti i rywle.' Talodd am y gwm gan ddal i wenu arni. 'Wela'i ti mewn hanner awr, 'te.'

Gwyliodd Carys o'n gadael y siop. Roedd hi'n methu coelio, ar ôl yr holl amser, fod John Gareth wedi landio yn Llangefni.

Hanner awr yn ddiweddarach eisteddai Carys yng nhyfforddusrwydd ei gar, y ddau'n gyrru i gyfeiriad Benllech. Gresynai fymryn nad oedd hi wedi cael cyfle i fynd adref i folchi gyntaf, newid a tharo ychydig o golur ar ei hwyneb. Ond dyna ni, roedd ei chwilfrydedd bron yn ormod iddi.

Pan ofynnodd iddo i le oedden nhw'n mynd, roedd wedi gwenu arni'n ddireidus a phwyntio at ei drwyn. Ella ei fod o awydd mynd am dro ar hyd y traeth, meddyliodd. Er, doedd hi ddim yn dywydd cerdded traeth chwaith a hithau'n brynhawn gwyntog oer ym mis Rhagfyr. A beth bynnag, roedd hi'n dywyll fel bol buwch am bedwar o'r gloch. Ond wedi iddyn nhw gyrraedd Bryn-teg yn hytrach na throi am Benllech, fel roedd Carys wedi disgwyl iddo wneud, anelodd yn ei flaen i gyfeiriad Marian-glas. Roedd Carys yn hollol ddryslyd erbyn hyn. Ar ôl pasio Marian-glas trodd wedyn i'r chwith i gyfeiriad pentref bach morwrol Moelfre. Ella ei fod o awydd mynd i weld cwt y bad achub, dyfalodd Carys wedyn. O gofio cefndir John Gareth a'i fagwraeth yng Nghei Newydd, ella ei fod o'n awyddus i ymweld â Moelfre, er ei fod o yn dipyn llai o le o ran maint.

Fel roedden nhw ar gyrion y pentref trodd John Gareth drwyn y car i mewn i ddreif tŷ oedd newydd gael ei adnewyddu a'i foderneiddio.

Diffoddodd yr injan. 'Dere, lawr â ni,' medda fo gan wenu.

'Be dan ni'n neud yn fyma?' gofynnodd Carys yn syn.

'Be ti'n feddwl ohono fe?'

'Neis iawn. A ma o mewn lle amesing,' meddai gan edmygu'r olygfa o'i blaen. Roedd y tŷ wedi ei osod ar fryncyn. Roedd Traeth Coch, traeth Llanddona ac Ynys Seiriol i'w gweld yn glir a hyd yn oed draw i'r Gogarth. Yn gefnlen i'r cwbl roedd mynyddoedd Eryri, cyfuniad perffaith o'r môr a'r mynydd.

Chwifiodd oriadau o'i blaen. 'Dere mewn i ga'l pip.'

'Be?'

'Wy 'di brynu fe.'

'Prynu hwn? I be?'

'Pam ti fel arfer yn prynu tŷ? I fyw ynddo fe wrth gwrs.'

'Ti'n symud i fyw i fyma?' gofynnodd Carys wedyn yn methu credu'r peth.

'Shwt arall wy'n mynd i allu dy weld ti? Felly, wy 'di neud yr aberth mwya un, wy'n symud lan i'r Gogs, ac yn wa'th na 'nny, symud i Shir Fôn,' meddai mewn acen Sir Fôn sâl.

'O ddifri?'

'O ddifri.' Camodd tuag ati a symud cudyn o'i gwallt oddi ar ei hwyneb a mwytho ei boch wridog. 'Ma dan ni lot fawr fawr o ddala lan i'w neud... a gallen ni ddim neud 'na 'da canno'dd o filltiroedd rhyngon ni. Dere.'

Ella nad oedd hi'n noson gynnes braf, fel y noson honno yng Ngroeg yr holl flynyddoedd hynny yn ôl. Roedd y môr o'u blaenau hefyd yn llwyd ac yn oer, doedd hi chwaith ddim yn noson serennog glir. Ond yr un oedd y lleuad oedd yn disgleirio uwch eu pennau ac yr un oedd teimladau'r ddau tuag at ei gilydd, cyn gryfed os nad yn gryfach. Estynnodd ei law allan iddi. Derbyniodd hithau ei law gynnes a gafael ynddi'n dynn.

Y BRIODAS

FYDDEN NHW DDIM wedi cael gwell diwrnod i briodi. Roedd hi'n bnawn Gwener hydrefol braf. Yr haul yn gwenu'n glên ar y fodrwy, ond ddim gormod chwaith fel bod pawb yn gorfod sgwintio yn y lluniau. A tasa'r briodferch wedi dewis gwisgo fêl, (wnaeth hi ddim), doedd 'na ddim chwa o wynt.

'Reit, pawb yn barod?' gofynnodd Gethin, y tynnwr lluniau penodedig. 'Pawb i wenu… Caws… Gwenwch, Nain, mewn priodas ydach chi ddim mewn cynhebrwng.'

Roedd o wedi hedfan yn ei ôl i Gymru fach yn unswydd ar gyfer y diwrnod arbennig yma. Ar ôl teithio ar hyd a lled rhai o wledydd y dwyrain pell, a bod yng nghwmni ei gilydd ddydd a nos, pedair awr ar hugain, buan iawn y sylweddolodd Gethin a Rebeca, er eu bod yn caru ei gilydd, nad oedden nhw mewn cariad efo'i gilydd. Penderfynodd y ddau wahanu. Dychwelodd Rebeca yn ôl i Gymru ac ailafael yn ei swydd yn y Cynulliad, yn union fel petai hi erioed wedi bod i ffwrdd. Yn fuan iawn ar ôl iddi ddod yn ei hôl, roedd hi wedi cyfarfod Sumara yn ei dosbarth sbin, ac roedd y ddwy bellach mewn perthynas gariadus a hapus. Roedd Meira Lloyd Jenkins hefyd ar ben ei digon gan fod Plas Tan yr Onnen newydd gadarnhau eu bwcing ar gyfer y briodas dydd Sadwrn y Sulgwyn ymhen dwy flynedd. Roedd Gethin ar y llaw arall, yn cael amser gwerth chweil yn gweithio ar fferm yn Ballina, New South Wales, Awstralia yn hel mwyar, ac yn hel merched yr un pryd.

'Be haru ti, hogyn? Mi ydw i'n gwenu,' gwgodd ei nain. Hyd yn oed pan oedd Thelma'n gwenu roedd golwg flin arni.

Un oedd yn wên o glust i glust y diwrnod hwnnw oedd y forwyn briodas. Doedd 'na neb balchach na hapusach na Sisial fach. Wedi hir ddisgwyl, dyma hi o'r diwedd yn cael bod yn forwyn briodas. Nid yn unig hynny ond mi roedd hi hefyd wedi cael ffrog newydd. A hi ei hun oedd wedi cael dewis y ffrog yma. Ffrog las golau efo secwins ar y bodis a ryfflau ar y gwaelod. Wel, mi oedd hi wedi hen dyfu allan o'r llall.

Gwenodd John Gareth yn gariadus ar Carys. Feddyliodd yr un ohonyn nhw y byddent yn gweld y diwrnod arbennig yma. Diwrnod priodas eu mab.

Ar ôl blynyddoedd o fyw dros y brwsh, chwedl Thelma, roedd Siôn a Greta wedi penderfynu uno mewn glân briodas o'r diwedd. Roedd y ddau wedi ildio i swnian di-baid Sisial, yn enwedig ar ôl ei siom enbyd yn Sorrento. Ond efallai mai'r prif reswm dros yr undod oedd y buddion ariannol o fod yn bâr priod, fel roedd cyfrifydd Siôn wedi tynnu ei sylw atyn nhw.

Oedd, roedd gan Siôn gyfrifydd bellach ac yntau'n bartner iau ym musnes datblygu tai John Gareth. Pan gynigiodd ei dad y gallai adael y garej a dod i weithio ato fo yn y busnes, doedd dim rhaid iddo ofyn iddo ddwywaith. Ers i John Gareth symud i'r gogledd, roedd wedi bod yn buddsoddi ac yn datblygu mewn ambell i gynllun yno. Y bwriad oedd i Siôn gymryd yr awenau maes o law.

'Rhieni'r grŵm rŵan, plis,' cyfarwyddodd Gethin oedd yn cymryd ei rôl fel y ffotograffydd swyddogol o ddifri. Camodd Carys a John Gareth at ochr Siôn a Greta. Diolchodd Carys nad oedd hi wedi prynu'r ffrog a'r siaced fach binc roedd hi â'i llygaid arni'n wreiddiol. Lwcus nad oedd yna un ar ôl yn ei seis, neu mi fyddai hi wedi clashio'n uffernol efo ffrog goch lachar Greta.

Cafodd Carys bwniad hegar gan Thelma pan welodd honno Greta'n hwylio i mewn i'r swyddfa gofrestru ar fraich ei thad mewn ffrog goch. Cafodd Carys bwniad caled arall pan welodd Thelma beth oedd hi'n ei wisgo am ei thraed, sef pâr o dreiners *glitter* Converse.

'O leia ma gynnon ni le mawr i ddiolch ei bod hi wedi dewis gwisgo brasiyr heddiw,' mwmiodd o ochr ei cheg pan oedd Siôn a Greta'n arwyddo'r gofrestr.

'Reit, awê!' meddai Siôn wedi hen flino ar y tynnu lluniau a'r holl ffŷs ac yn ysu i dynnu ei dei a llowcio peint. Gafaelodd yn llaw ei wraig gan ei thywys i gyfeiriad Audi newydd sbon Medwyn a oedd yn garedig iawn wedi cynnig bod yn *chauffeur* ar yr amod ei fod o a Llinos yn cael gwadd i'r briodas. 'Welwn ni chi gyd yn y Llew Coch, 'ta.'

'Dach chi isio lifft efo fi, Nain?' gofynnodd Gethin.

'Diolch i ti, ngwas i. Hen 'ogyn ffeind ydi hwn.'

Er ei fod o wedi gwneud i'w nain drampio yr holl ffordd i Sorrento bell ac yn ôl i ddim pwrpas. Ac er ei fod o hefyd wedi gadael job dda i drafeilio rownd y byd, fel roedd hi mor hoff o edliw wrth Carys, roedd o'n dal yn gannwyll ei llygaid hi.

'Gobeithio bydd 'na fwyd go iawn ar gael yn yr hen dafarn 'na. Ddim ryw betha fejeterian a figan felltith,' cwynodd yn uchel gan gymryd ei fraich.

Gafaelodd Sisial fach yn llaw ei nain a'i thaid a sgipio cerdded rhwng y ddau yn hapus ei byd i gyfeiriad y maes parcio gerllaw.

'Pryd dach chi'n priodi?' gofynnodd yn ddiniwed ar ôl iddynt gyrraedd y car. A hithau wedi llwyddo i gael ei mam a'i thad i briodi, y cam naturiol nesaf wrth gwrs oedd cael ei nain a'i thad-cu i ddilyn eu hesiampl.

'Mewn â chdi i'r car, 'na hogan dda,' meddai Carys gan anwybyddu'r cwestiwn.

Roedd Carys bellach wedi symud i fyw i Foelfre at John Gareth. Roedd ei thŷ yn Llangefni ar y farchnad ac roedd hi newydd dderbyn cynnig teg amdano. Oedden, roedden nhw wedi dal i fyny yn rhyfeddol efo'i gilydd mewn llai na blwyddyn a'u perthynas wedi datblygu a dyfnhau.

Trodd John Gareth at y ddwy. Roedd golwg ddifrifol iawn ar ei wyneb. 'Ma hwnna yn gwestiwn da iawn, Sisial. Cwestiwn da iawn hefyd. Wyt ti'n meddwl bod hi'n amser i ni neud? Wyt ti'n meddwl y dylen i ofyn i dy nain fy mhriodi i?'

'Yndw! Yndw!' sgrechiodd Sisial gan neidio i fyny ac i lawr wedi gwirioni. 'Nain, 'nei di briodi Tad-cu?' gofynnodd wedi cynhyrfu'n lân yn gweld ei hun yn fuan iawn yn cael gwisgo ffrog grand arall.

'Ella y bysa'n well i mi neud ma siŵr, bysa?' chwarddodd Carys yn ysgafn. 'Ond paid ti â sôn gair wrth neb eto, ti'n dallt, Sisial? Sicryt bach chdi, fi a Tad-cu ydi o ar hyn o bryd, OK? Diwrnod dy dad a dy fam ydi hi heddiw. Ti'n gaddo, Sisial?'

'Dwi'n gaddo.' Roedd ei hwyres fach yn wên o glust i glust. Wrth ei bodd yn cael bod yn rhan o gyfrinach mor arbennig.

'Lle ti ffansi? Fan hyn, ynte rhywle lot fwy egsotig?' gofynnodd John Gareth wrth gau gwregys diogelwch Sisial.

'W't ti'n meddwl am yr un lle â dwi'n meddwl amdano fo?'

'Dwi'n credu mod i. Bydde'n sbort mynd 'nôl 'na, bydde fe?'

Gwenodd y ddau'n dyner ar ei gilydd a'r atgofion o'r gwyliau arbennig hwnnw yn llifo'n ôl.

Taniodd John Gareth injan y car ac ymhen dim roeddynt

wedi dal i fyny efo Peugeot Gethin oedd yn mynd yn orbwyllog ar hyd y ffordd. Gallai Carys glywed ei mam wrth ei ochr yn dweud wrtho am gymryd pwyll a pheidio â gyrru cymaint.

Ciledrychodd Carys ar John Gareth wrth ei hochr ac yna ar Sisial fach yn hapus ei byd yn ei sedd *booster* yn y cefn. Gwenodd. Ella nad oedd o cweit fel diweddglo stori Danny a Sandy yn y ffilm *Grease*, yn hedfan i'r machlud yng nghar coch y Greased Lightning. Ond bywyd go iawn oedd hwn ac nid ffilm. Ac roedd o'n ddigon da i Carys, diolch yn fawr.

Ac i'r rhai ohonoch chi sydd â diddordeb, yr haf canlynol hedfanodd Carys, John Gareth, Siôn, Greta, a oedd yn disgwyl eu hail blentyn erbyn hynny, Sisial, Gethin a'i gariad newydd, Molly, Rebeca a'i phartner Sumara, heb anghofio Thelma wrth gwrs, dramor ar gyfer priodas arall. Hedfanodd y criw bach dethol i ynys Rhodes, i Faliraki.

Ond stori arall ar gyfer rhywbryd arall ydi'r briodas honno.

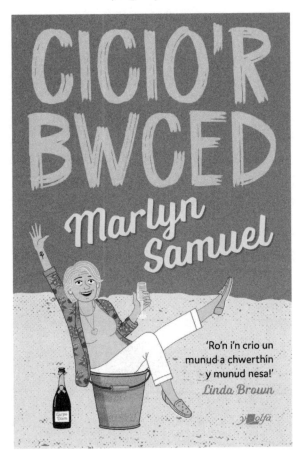

£8.99

£8.99

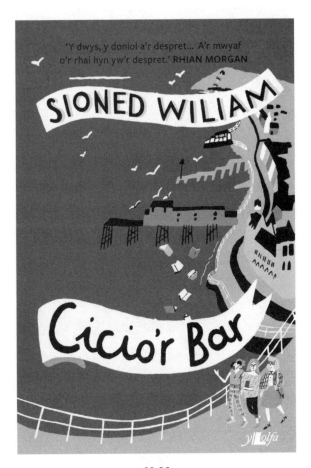

'Y dwys, y doniol a'r despret... A'r mwyaf
o'r rhai hyn yw'r despret.' RHIAN MORGAN

SIONED WILIAM

Cicio'r Bar

yl olfa

£8.99

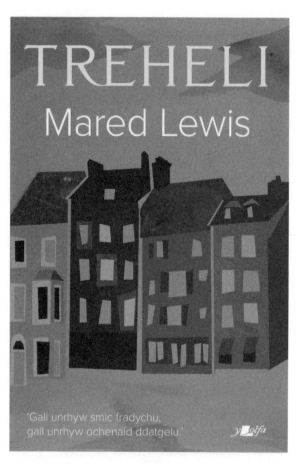

TREHELI
Mared Lewis

'Gall unrhyw smic fradychu,
gall unrhyw ochenaid ddatgelu.'

y Lolfa

£8.99

Ifan Morgan Jones

BRODORION

'Chwip o antur' **JON GOWER**

y Lolfa

£8.99

'Nofel hynod o bwerus' ELWYN JONES

Lleucu Roberts

Y Stori Orau

ENILLYDD Y FEDAL RYDDIAITH 2021

£8.99

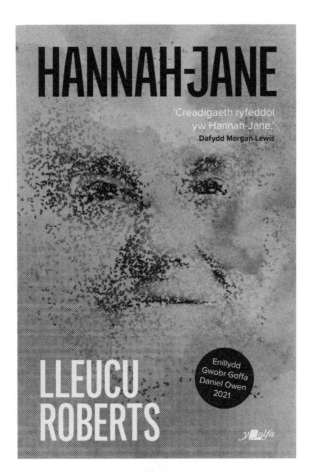

HANNAH-JANE

'Creadigaeth ryfeddol
yw Hannah-Jane.'
Dafydd Morgan Lewis

Enillydd
Gwobr Goffa
Daniel Owen
2021

y Lolfa

£8.99